SOUDAIN LE MINOTAURE

roman

Catalogage avant publication de Bibliothèque et Archives Canada

Poitras, Marie Hélène, 1975-
    Soudain le Minotaure : roman

    2ᵉ éd. canadienne

    ISBN 13 : 978-2-89031-584-6
    ISBN 10 : 2-89031-584-3
    I. Titre.

    PS8581.O37S68 2006   C843'.6   C2006-942090-4
    PS9581.O37S68 2006

Nous remercions le Conseil des Arts du Canada ainsi que la Société de développement des entreprises culturelles du Québec de l'aide apportée à notre programme de
publication. Nous reconnaissons également l'aide financière du gouvernement du
Canada par l'entremise du Programme d'aide au développement de l'industrie de
l'édition (PADIÉ) pour nos activités d'édition.
Gouvernement du Québec – Programme de crédit d'impôt pour l'édition de livres
– Gestion SODEC

Mise en pages : Eva Lavergne
Maquette de la couverture : Raymond Martin
Illustration : Yannick Duguay

───────────────

Distribution :

Canada
Dimedia
539, boul. Lebeau
Saint-Laurent (Québec)
H4N 1S2
Tél. : (514) 336-3941
Téléc. : (514) 331-3916
general@dimedia.qc.ca

Europe francophone
Librairie du Québec/ D.N.M.
30, rue Gay Lussac
75005 Paris
France
Tél. : (1) 43 54 49 02
Téléc. : (1) 43 54 39 15
liquebec@noos.fr

Dépôt légal : B.N.Q. et B.N.C., 1ᵉ trimestre 2007
Imprimé au Canada

Marie Hélène Poitras

Soudain le Minotaure

roman

Triptyque

Je dédie ce roman à Pierre Lepage,
un ange bronzé qui joue au tennis dans le ciel.

Merci à André Carpentier et à Nancy Hall.

PREMIÈRE PARTIE

Mino Torrès

See he's coming
Am I here
I'm not running
I'm not scared

Big black Monster
Take me with you

I'm not jerking
I won't hide
Yeah I'm ready
Meet the Monster tonight

P. J. Harvey, *Meet Ze Monsta*

I

La seule fille que je vois depuis six mois, c'est l'infirmière. Une géante, deux fois grande comme moi. Elle vérifie quotidiennement mes signes vitaux. Je me mettrais bien sa culotte sur la tête. Elle me regarde toujours dans les yeux, de très haut, et moi je suis nu et rose, une chique de gomme à la merci de son talon. Avant qu'elle ne se pointe dans le cabinet, je dois enlever mes vêtements et patienter. C'est toujours long. Elle est de l'autre côté de la porte, avec un des médecins, et rit parfois très fort, d'un rire gras et exagérément bruyant. Elle veut sans doute que je l'entende, que je sache qu'elle a vraiment beaucoup de plaisir pendant que je m'étends en grelottant sur le lit recouvert de papier, comme un fœtus dans une poubelle.

Je sais très bien que de l'autre côté du miroir encastré, l'infirmière me voit enlever mon uniforme de prisonnier. Je me dis que ça ne l'intéresse pas, qu'elle aime sûrement les femmes, qu'elle ne me regarde pas. Mais lorsque j'enlève mes sous-vêtements, son grand rire s'élance jusqu'à moi. Puis l'infirmière apparaît, les yeux encore mouillés d'avoir tant ri. Elle me fixe, l'air bête, et enfile des gants de plastique qui dégagent une odeur de condom. Ensuite elle prend un bâtonnet de bois et m'ordonne de tirer la langue en faisant « aaaah ». Elle appuie sa grosse poitrine sur ma gorge et, pour ne pas que mon sexe s'érige, je pense à ma mère ou à un champ de canne à sucre. De toute manière, depuis deux semaines, je n'arrive plus à bander ; le Dr Parker me donne des comprimés pour calmer mes pulsions sexuelles.

Je fais souvent le même rêve. Les couloirs de la prison sont vides. Tous les détenus dorment d'un sommeil médicamenteux, la bouche pâteuse. Par un hasard heureux, on a oublié de verrouiller la porte de ma cellule. Je ne m'évade pas ; j'attends l'infirmière Smith. Bruit lointain de talons lourds, de démarche puissante et de clefs qui s'entrechoquent : c'est elle. Je sens sa cigarette et l'odeur aigre de ses aisselles. Elle regarde dans ma cellule et me demande pourquoi je ne dors pas. J'ouvre la porte brusquement, pour frapper son front. Elle tombe, étourdie durant quelques secondes, et je monte sur elle avant qu'elle ne reprenne ses esprits. Je tiens ses poignets d'une main, solidement, et déchire ses vêtements à l'aide des clefs, jusqu'à ce que je voie ses gros seins mollasses et son sexe grisonnant. Je m'enfonce entre ses cuisses bovines. Elle halète, gémit et jouit, les lumières du couloir s'allument et s'éteignent de façon effrénée. On tombe amoureux l'un de l'autre, on quitte le centre de détention, et on prend place dans sa voiture, une petite Rabbit vert forêt pleine de rouille. Je conduis, elle recoud son pantalon et on envisage de quitter l'Ontario pour descendre jusqu'en Virginie. Elle m'offre une Marlboro.

II

Maman a téléphoné ce matin. Elle croit que je gagne convenablement ma vie ici. Ma sœur vient d'avoir seize ans et fréquente, depuis deux mois, un homme de trente ans qui travaille dans une banque et fait un bon salaire. Je prends une voix bienveillante et exhorte ma mère à la méfiance. Elle passe le combiné à Anna. « Ma sœur, fais bien attention à toi. Je ne veux pas qu'il t'arrive quelque chose. » J'ai peur pour elle. Elle ne connaît encore rien aux hommes et s'habille parfois de manière aguichante. Elle porte des t-shirts ajustés qui révèlent la naissance de ses seins. Sa croupe est enveloppée dans des jupes courtes qui montrent ses fesses lorsqu'elle se penche pour fouiller dans son sac à main.

J'ai violé au moins vingt filles au Guatemala. L'une d'elles est allée à la police, mais on ne m'a jamais retracé. J'avais été étonné de la facilité de la chose. Comme si les filles s'attendaient à se faire attaquer un jour ou l'autre. Tout se passait très vite. Des cheveux souples jusqu'au milieu de la colonne. Des hanches cassantes. Ma main sur leur bouche. Leurs yeux aussi onctueux que de la crème avec deux grains de café dedans. Je voulais user de plus d'emprise sur elles, mais elles se laissaient faire. La terreur qu'il y avait dans leurs yeux m'enivrait. Je voulais les boire, on aurait dit que tout se distendait autour en séquences lentes. Je les violais et elles me faisaient l'amour. Je leur souillais le ventre avec mon sperme. Je crachais sur leur tête comme pour les salir. Puis je partais en courant, me promettant de recommencer. Les prendre ainsi me rendait euphorique. La première fois, je portais un masque de Mickey Mouse ; l'Halloween approchait.

Quelques jours après ce viol, j'avais été troublé par un article du journal local qui rendait compte de l'événement. Après une journée passée à vendre des fruits au marché central, j'étais rentré un peu plus tôt qu'à l'habitude, avec un paquet d'américaines et deux mangues pour Anna.

Maman n'était pas là. Ma sœur, qui avait séché ses cours comme souvent elle le faisait quand maman s'absentait, avait ramené trois petits voyous plus vieux qu'elle. Une bouteille de rhum entamée traînait sur la table. La radio vomissait de la musique pop américaine, Madonna je crois. Ma sœur dansait, les bras dans les airs, ce qui fait qu'on voyait très bien le bas de ses fesses. Par la fenêtre, j'ai espionné la scène pendant quelques minutes. Les gars calaient l'alcool brun à même la bouteille, en lorgnant le corps d'Anna, qui tournait sur elle-même. Elle semblait un peu ivre. Les gars se chuchotaient des choses à l'oreille et versaient de temps à autre du rhum dans le bouchon, qu'ils offraient à Anna. Elle buvait très vite et ils applaudissaient. Ça sentait le viol à plein nez.

Je suis rentré en hurlant et j'ai foutu un coup de poing à un des gars. Un canif est tombé de sa poche.

Il l'a ramassé et est reparti en courant comme les deux autres. Anna s'est mise à me lancer des injures, m'accusant de ne jamais la laisser s'amuser, gueulant avec du feu dans les yeux qu'elle ne faisait rien de mal. Je lui ai donné un coup de journal sur la tête, seulement pour la blesser dans son orgueil et pour qu'elle se taise enfin.

— Tu lis pas le journal, toi?

— Qu'est-ce que le journal vient faire là-dedans. Et puis, de toute manière, t'es parti avec ce matin.

Elle était plus saoule que je ne l'avais d'abord cru. Après lui avoir allumé une cigarette, je lui ai montré l'article sur le viol.

Elle a cessé son jacassement aigu.

Au téléphone, ma mère pleure et me répète qu'elle est fière de moi, heureuse de savoir que les choses tournent bien. Elle croit que je travaille pour une grosse entreprise québécoise, me demande des nouvelles de Maria. Entendre ma langue maternelle, parlée par ma mère en plus, me fait l'effet d'une caresse. Elle veut savoir quand elle sera grand-mère et me dit de faire vite, sinon Anna aura des petits avant moi. Avec un gros ventre, les jupes d'Anna monteront jusqu'au milieu de ses fesses. En tout cas, moi, jamais je ne violerais une femme enceinte. « Mon fils, ta mère vieillit. » Je ne l'écoutais plus depuis un moment. «Maman, je dois te laisser. Il faut que je parte travailler. » Et je retourne à ma cellule, l'unité 303 du Centre de détention de Penetanguishene.

III

Trois soirs de suite, je me suis rendu à l'université, à l'angle des rues Saint-Denis et De Maisonneuve, pour voir défiler les étudiantes. Elles étaient toutes très jolies, à part quelques grosses et grandes en survêtement sportif, avec un peu de duvet au-dessus de la lèvre supérieure. J'étais assis à une table, à la mezzanine du premier étage, et j'observais la place où des étudiants se rencontraient autour d'une fontaine. Une terrible envie de baiser me virait l'estomac à l'envers. On peut trouver ce qu'on veut chez une fille. Si l'homme a envie de violer, elle lui donnera l'impression de n'être bonne qu'à ça. D'attendre ça, même.

Ma femme n'avait jamais d'orgasme et faisait la morte pendant nos relations sexuelles. J'avais l'impression de me déverser dans un sac d'organes. Elle se moquait bien de ne pas jouir, car la seule raison pour laquelle elle me permettait de la prendre était son désir de devenir une petite mère. Elle s'ennuyait, seule dans l'appartement. Tout était toujours très propre. Elle enveloppait les lampes dans des sacs de plastique transparent pour éviter que la poussière ne les recouvre. Elle avait envie de s'occuper d'un enfant, de servir à quelque chose, de tendre son sein à un autre que moi. Je vendais des fruits et des légumes au marché Jean-Talon et nous habitions un logement dans le Nord de Montréal.

La ville était belle en automne. J'avais acheté des manteaux pour Maria et moi. Elle ne sortait qu'en ma compagnie. Nous allions au marché, elle choisissait des fruits, des légumes, du poisson et de la viande pendant que je l'attendais dans un petit café en lisant le journal. Elle souriait, heureuse d'avoir trouvé des agrumes en provenance de son pays d'origine, le Costa Rica. Je lui avais dit que la ville était dangereuse pour une femme seule et qu'il valait mieux qu'elle ne sorte pas sans moi. Maria était très jolie, plus grande que moi, les lèvres bombées, le teint doré, avec de longs cheveux noirs. Je savais qu'elle attirait les regards et les sourires. J'aurais pu passer pour son petit frère et j'en étais agacé.

Par un lundi rouge d'octobre, je suis rentré du travail vers l'heure du souper. On était au Québec depuis le mois de septembre. Maria s'était rendue chez le coiffeur. Seule. Ses longs cheveux reposaient dans une boîte, au milieu de la table de cuisine, en une tresse attachée aux extrémités par deux boucles rouges. Les cheveux coupés à la garçonne. Un filet de salive s'échappait de sa bouche ; elle s'était endormie devant une émission pour enfants, sur le canapé du salon. Je suis sorti de l'appartement en donnant des coups de pied sur tous les murs. Il fallait que je bouge, sinon j'étais bon pour une crise d'épilepsie. Quand j'en sentais venir une, je me mettais à courir et arrivais parfois à m'en sauver. J'ai sauté dans un autobus, n'importe lequel. Je me suis retrouvé dans le Village gai, j'ai couru pour en sortir au plus vite. Parvenu à l'Université du Québec, j'ai compris que j'allais bientôt commettre un autre viol, qu'il y en aurait plein d'autres et que je choisirais des filles aux cheveux longs.

IV

Je suis écrasé dans le coin de ma cellule pendant que les autres prisonniers jouent au billard ou aux cartes dans la salle commune. Les types qui prennent les filles de force se font tabasser par les détenus, et les gardiens doivent les isoler. On est trois violeurs voisins, à digérer nos pommes de terre en purée et nos pilules anti-bandaison, à ne plus pouvoir se malaxer le dard, seul passe-temps possible en ces murs gris. Je compte mes dents, me passe le visage sous l'eau et me gratte les oreilles en patientant avant la prochaine séance de thérapie de groupe.

Le Dr Parker se tue à nous répéter qu'on est malades. Je réponds que c'est à cause des médicaments qu'il nous donne. Les autres prisonniers rient un peu. Je suis le bouffon du groupe et Parker passe pour un vieux sénile. Un détenu ajoute que les comprimés élèvent sa voix d'une octave. La seule chose que j'apprends ici, c'est l'anglais. Je pense en espagnol, en français aussi, mais je dois parler l'anglais, déraciné jusque dans ma langue.

Il m'arrive de songer aux filles que j'ai violées. Lorsque je prenais le temps de les choisir, environ sept fois sur dix, elles avaient ce profil : minces, jolies, frêles, pressées, pourvues de longs cheveux leur descendant jusque sous l'agrafe du soutien-gorge, ou alors attachés en pomme sur le crâne, étirant leurs yeux vers le ciel, laissant apparaître leurs joues blanches. Pas une n'a réagi de la même façon à mon approche, mais toutes ont eu très peur. Comme si une bête horrible s'apprêtait à les dévorer. J'ai violé trente-trois filles très exactement, dont treize au Québec. Elles défilent dans ma tête en désordre, comme une suite de petits personnages de carton attachés les uns aux autres par les bras. Deux d'entre elles étaient vierges ; des amies de ma sœur. Quand ça pleure trop, je n'aime pas. Il y a aussi eu cette fille qui arrachait des fleurs non loin de moi, qui lisait Zorro. Je lui avais dit que je connaissais un bel endroit, tellement envahi de roses que ce serait elles qui la cueilleraient. Elle avait ri. Son corps était comme un ciel étoilé de grains de beauté et elle avait les mamelons mauves. Une connasse observait les tortugas quitter l'océan pour venir pondre sur la plage. En maillot avec ses longues jambes. Seule en pleine nuit. J'appelle ça une invitation officielle au viol. La gazelle qui s'endort sur la fesse d'un lion et qui s'étonne de s'éveiller dévorée. Il y avait aussi cette fille qui achetait des melons en me souriant. À Montréal, c'était presque toujours des étudiantes que j'entraînais dans des ruelles. J'en oublie plusieurs. Mais je me souviens parfaitement d'Ariane.

Je croyais qu'Ariane serait au procès. Elle est la seule dont le nom me hante. J'ai pu entrer chez elle et l'attendre, car les portes de son appartement n'étaient pas verrouillées. J'ai essuyé mes pieds sur le tapis de coco et exploré les pièces. Un gars habitait visiblement avec elle ; les photos de filles collées aux murs d'une des chambres en témoignaient. Dans le premier tiroir de gauche de la commode d'Ariane, plusieurs cartes étudiantes échues m'ont révélé son nom. Sur une série de trois photos prises dans une cabine de centre commercial, deux adolescentes faisaient la grimace. J'ai rapidement reconnu Ariane, même si la photo était vieille : elle était à gauche et avait la langue bleue à cause de je ne sais quoi. La quatrième photo avait été déchirée. Son amie l'avait peut-être gardée. Je me suis caché dans la garde-robe et j'ai attendu son arrivée. Enfin des pas dans l'escalier. Une voix féminine qui murmurait quelque chose. C'était elle. Je me suis ravisé et je suis allé derrière la porte de la chambre. Et puis non, ça n'allait pas ; je suis retourné dans la garde-robe. Elle cherchait son chat dans l'escalier, je crois. Le son sourd d'un manteau qui s'écrase sur le sol. Le bruit d'un trousseau de clefs lancé sur une table. Un sac qu'on chiffonne en boule. Je sentais déjà l'adrénaline parcourir ma moelle épinière : j'aurais le courage de le faire. Puis Ariane est entrée en appelant un gars : « François, es-tu là ? »

Je l'ai presque tuée avec mes doigts. Elle est la seule à avoir tenté de fuir. À s'être défendue. Ariane n'allait pas s'en tirer. Je lui ai donné des coups, je l'ai fait saigner, je voulais qu'elle ait peur. Enfin je pouvais joindre la violence à mon acte, je n'avais pas le choix. Ariane, la seule que je peux nommer. J'espérais qu'elle soit au tribunal, parce que même si j'avais été dur avec elle, il me semblait qu'elle aurait pu comprendre mon acte. Elle aurait peut-être même eu un peu de compassion pour moi. Malheureusement, c'est l'autre, la dernière, celle dont j'ai poignardé le chum, qui s'est présentée, entourée de sa famille. Elle est venue me cracher à la figure. Une belle conne, celle-là.

V

Il doit être tôt, 5 h du matin, je dirais. Je pense à Maria, à ma bohémienne urbaine, à cette fleur longue et fragile, comme déracinée. Je sais qu'elle dort mal depuis six mois. Maria ne parle ni ne comprend l'anglais. Elle vient parfois me voir ici. Elle ne sait pas pour les viols. Je lui ai raconté que je vendais un peu de drogue et que, au Canada, la peine est sévère lorsqu'on t'y prend. Maria entre et me cherche, les yeux bouffis. Tous les gars la suivent du regard. Mes orteils se tordent dans mes souliers, je gratte le dessous du pupitre et Maria prend place. Le grand Jack, celui qui m'a tabassé parce que j'avais pris des filles de force, ne peut s'empêcher de demander à Maria comment elle fait, une belle femme comme elle, pour endurer une crapule comme moi. Elle veut que je traduise. Je lui dis que tous les prisonniers la trouvent très belle et que certains d'entre eux manquent de subtilité.

Maria, Maria. Je tire le drap par-dessus ma tête et murmure ce nom, le mâche et l'expire. Ses cheveux repoussent tranquillement, elle a maigri. La semaine passée, ses ongles étaient peints en bleu. J'imagine des scénarios excitants qui n'ont plus aucun effet sur mon corps. Je me couche sur le ventre et rêve à la chambre à coucher de notre appartement, occupée aux trois quarts par notre lit très mou, recouvert de plusieurs couvertures lourdes et douces. À mes côtés, une Maria endormie, les seins nus, ne portant qu'une petite culotte. J'entends sa respiration discrète, je sens son parfum de fille. Si ses cheveux étaient plus longs, je m'en recouvrirais le visage.

VI

Parker m'a parlé durant une heure, ce midi, après la séance de thérapie de groupe. Il se peut que j'en sois exclu, car je refuse de collaborer et de réfléchir sur moi-même, sur mes actes et ma « maladie ». Je préfère de loin rester dans ma cellule à ne rien faire que d'entendre les prisonniers simuler leur participation aux thérapies et sentir la légère transpiration du docteur qui s'enthousiasme dans le vide. Je n'ai pas envie de faire l'animal de cirque. Ce n'est pas moi qui suis malade. C'est plutôt Parker qui aurait besoin de passer à l'acte. Il doit se branler, le soir, chez lui comme un défoncé, fantasmant sur ce qu'on lui raconte durant toute la journée. Par jalousie ou envie, il nous gave de médicaments, qui finissent par nous empêcher de voir en face le bout de notre gland. À défaut d'avoir le courage de violer, Parker est devenu docteur pour violeurs. C'était ça ou la gynécologie, mais cet homme est sans doute incapable d'aborder un sexe de fille sans s'écrouler de malaise. Nous traiter de « malades » lui permet de se déculpabiliser. Il fait des demandes de subventions, accueille les violeurs les plus « sexe et violence » du pays et alimente hypocritement le noyau de ses fantasmes à même nos prouesses sexuelles sous des allures d'homme bon qui se sacrifie pour le bien-être de l'humanité, en neutralisant sa couche la plus abjecte.

Au cours de notre discussion, il m'a dit que j'étais *clever*. Je croyais que ce mot signifiait « lâche » ou « petit con ». Il sonnait vide, amorphe et creux comme le corps des filles après un viol. Quand j'ai accompli un viol, je me sauve très vite pour ne pas être aspergé par le désarroi de la victime. J'aime lire la peur, la peur qui succède à la surprise dans ses grands yeux vaporeux, mais ce qui suit, je n'en veux pas. C'est d'ailleurs pour cette raison que je bande les yeux, les mains et la bouche de la fille. Pas seulement pour qu'elle ne puisse pas me reconnaître au poste de police, pour ne pas qu'elle crie ou qu'elle se défende, non : il y a autre chose. Au cours des premiers viols, je n'étais pas aussi bien équipé qu'aujourd'hui. Je faisais peur aux filles, et elles se laissaient faire. Je les regardais dans les yeux en essayant de lire ce qui s'y écrivait. À la fin de mon premier viol, au Guatemala, j'avais contemplé le regard abattu de ma victime. Elle avait eu un sanglot étouffé et s'était lovée pour se protéger de moi en me regardant bizarrement. Elle avait ramené ses mains autour de ses genoux et j'avais eu envie de la consoler et d'aller la reconduire chez elle. À Montréal, je ne m'étais jamais laissé émouvoir. La seule chose qui importait, c'était ma rage, mes actes, le cours des choses que j'allais tordre. Après le viol, je m'empressais de quitter les lieux, l'état de la victime n'avait pas le temps de m'atteindre. À ma grande surprise, *clever* voulait dire intelligent. Parker m'admirait parce que j'avais osé faire ce qui l'obsédait. Vieux débile, s'il savait.

La nature me pousse à agir. Mes pulsions viennent du centre de la terre. Dans un espace donné, proies et prédateurs évoluent nonchalamment. Tous pressentent ce qui les attend et patientent avant la rupture de l'équilibre. Le masculin force la rencontre avec le féminin. La proie sait qu'un jour les crocs du serpent viendront mordre ses flancs, déchirer ses tissus et ouvrir ses chairs. Comme deux pièces de casse-tête, une dent, une côte, une dent, une côte, imbriquées l'une dans l'autre, dans un frôlement grinçant d'émail et de calcium. Viennent alors le défoulement du serpent et l'apaisement de la proie. Harassé, le prédateur rentre chez lui, en mouton tranquille, cependant que la bête mordue repose sur le dos, presque assassinée, les entrailles crevées, balayées par l'haleine d'un vent immonde, écœurée par les émanations putrides des liquides caillés sur sa peau : sang, pus, plasma, sperme, salive. Si Parker était un reptile, il incarnerait une petite couleuvre rampante, effrayée par les musaraignes, mordant dans du bois, frustrée par le spectacle de l'étreinte enamourée d'un serpent et d'une hase. Ignorant tout du plaisir de déverser sa colère dans quelque chose de bien vivant : un corps chaud, humide, ouvert là devant soi. Dans l'attente d'une décharge.

VII

Je les ai suivies une à une, plus ou moins discrètement. Ariane, ma trente et unième, est passée devant moi, a heurté ma jambe et, sans même me jeter un regard, s'en est excusée. J'ai évité de peu la ganse de son sac à dos, presque reçue en plein visage. On a attendu le métro ensemble : elle, lisant un livre et moi, lorgnant sa nuque. Ce premier soir de rencontre, je voulais uniquement savoir où elle habitait. Station Pie-IX, elle est enfin descendue. Un type sorti du wagon voisin est venu bavarder avec elle. Pour me donner une contenance, je suis allé acheter un large rouleau de ruban – ça pourrait toujours servir – et le journal le moins cher au dépanneur de la station. J'ai senti qu'ils avaient déjà couché ensemble. Il y avait trop peu de distance entre leurs corps et elle avait cette façon de lui serrer le bras pour appuyer ce qu'elle racontait chaque fois que sa voix s'élevait. Les bras ballants, le gars semblait ravi des attouchements d'Ariane.

Il tombait une poudre fine, ma première neige pour tout dire. Je mémorisais le nom des rues au passage, n'ayant jamais mis les pieds dans ce quartier, et suivais Ariane, envoûté par sa démarche légère, éthérée. On errait tous les deux dans les dédales du quartier. J'aurais pu la dévorer de son vivant dans une des ruelles qu'elle connaissait bien. Lui apparaître, comme ça, annuler tous ses repères, l'attacher avec du fil et l'aimer à jamais dans une étreinte prolongée, interminable.

J'étais un espion armé, un animal impatient préparant son assaut, prêt à exploser comme une bombe. En moi palpitaient des veines acides, des artères pétillantes, un cœur en feu, des poumons kamikazes. À chaque inspiration, une explosion menaçait de me fendre en millions de petites chiques de peau. Personne ne savait où j'étais à ce moment-là. Je rampais et me cachais, l'arme blanche serrée contre mon ventre. Je piétinais mes traces, imprimées dans la neige fraîche, pour en brouiller la netteté. Celles d'Ariane étaient étroites, coiffées d'un talon en demi-lune. J'étais mon seul maître. Tout allait bien, l'épilepsie restait à l'écart.

Le viol aurait lieu le lendemain, un mardi neutre.

VIII

Vers la mi-octobre, au moment où la nuit rattrape le jour au Québec, j'ai suivi une fille sans le vouloir, sans même m'en apercevoir. Je rentrais du travail et on était vendredi. Je suis descendu de l'autobus derrière elle. Je pensais à tout sauf à cette fille ; j'avais hâte d'arriver à l'appartement, d'embrasser Maria et de lui offrir les bananes du Costa Rica que j'avais choisies une à une à son intention. Je commençais même à me laisser séduire par l'idée d'avoir un enfant avec ma femme. J'étais un peu fatigué, pour tout dire.

Devant moi, la fille pressait le pas. Son attitude devenait ridicule, et c'est ce qui me tira de ma rêverie. Elle marchait très vite, avec ses petits talons sonores qui claquaient sur l'asphalte. Son cul démesurément large était coincé dans un pantalon beige de jeune professionnelle. J'étais absorbé dans mes pensées et j'accélérais la cadence à son rythme, sans vraiment m'en rendre compte. J'ai eu soudainement envie de courir après elle ou de m'approcher et de crier : « Bouh ! » Cette fille était terrorisée et son effroi aiguisait ma colère. Elle me sentait derrière, tout près, peut-être même que mon ombre devançait ses pas. Peut-être aussi que mon odeur l'apeurait. J'avais beaucoup transpiré cette journée-là et j'empestais la sueur. Il vaudrait mieux prendre une douche avant d'aller au plus près de Maria pour lui faire l'amour. La fille a traversé la rue, comme ces vaches rousses qui sillonnent les routes d'Amérique centrale.

Avec sa paranoïa exacerbée, elle traînait avec elle un potentiel de proie. Tout son être hurlait : « Violez-moi quelqu'un, une bonne fois pour toutes, qu'on n'en parle plus. » Ou peut-être avait-elle déjà été agressée. Peu importe. Cette fille était une invitation au viol, un présage des autres agressions à venir. En jouant la proie, elle avait réveillé le prédateur en moi.

J'ai mis ma main sur sa bouche et je l'ai poussée dans une ruelle. J'ai arraché ses vêtements sans prendre la peine d'en détacher les boutons. Son sexe dans ma main devenait élastique. Un chat nous a regardés. Je lui ai demandé en quoi elle étudiait pour, je ne sais pas, personnaliser un peu son viol. « En bio. » Quoi, j'entends rien, articule, grosse mouche moche. « En biologie », qu'elle marmonne. Je lui ai bourré la gorge d'herbe et de terre. Elle crachait et vomissait sur le ciment quand je l'ai pénétrée d'un trait. Deux fourmis couraient sur son dos. On était seuls et c'était trop facile. L'arrière de ses cuisses était marbré de varices. C'était laid. Je l'ai mordue au dos jusqu'à la faire saigner, si bien que j'avais un peu de sa chair dans le palais. Ça goûtait les langues de bœuf que mon père nous faisait avaler. Une langue sur une langue, que c'est con ! Violer une obèse, ce que je suis con ! J'ai attrapé sa tignasse et tiré comme si c'était un cheval et que je lui ordonnais d'arrêter. Sa petite face de mal baisée qui s'imaginait loin, très loin, me rendait fou. Je lui ai éjaculé direct dans la craque de fesses, ça lui apprendrait à trimballer son gros cul dans des pantalons aussi ridicules. Elle ne bougeait pas, ne disait plus rien, se laissait faire. Je l'aurais mangée tout rond morceau par morceau qu'elle se serait laissé avaler en s'imaginant ailleurs sur une île déserte avec Brad Pitt. Connasse ! Je l'ai ramassée puis je l'ai jetée dans un container. Je n'avais même pas eu besoin de sortir le ruban adhésif. L'arme était restée dans ma poche tout au long du viol. C'était vraiment trop simple. Je ne conseille à personne le viol d'une obèse dans un stationnement vide. C'est aussi plate et insignifiant que de pisser dans un égout par un dimanche après-midi pluvieux.

C'était l'exemple type du viol non prémédité, inévitable, celui qui se déroule dans la fureur, sans qu'on s'y attende, provoqué par un élément extérieur. La chose pouvait arriver de temps en temps sur un itinéraire de viols. C'était sûrement un signe de santé.

Maria m'a sauté au cou. De la cuisine venait une odeur de légumes au citron. Elle avait l'air un peu endormie ; elle devait avoir passé l'après-midi à somnoler devant les émissions de télé dont elle ne comprenait pas la langue. Je lui ai dit qu'un violeur rôdait dans le quartier et qu'une fille qui travaillait au marché avait été agressée. « Elle est maintenant si apeurée qu'elle se déplace avec des clefs entre les doigts pour défoncer le visage des hommes qui voudraient la posséder. » Maria semblait trouver cela terrible. J'ai sorti les bananes éclatantes de mon sac. Sa grimace s'est transformée en sourire. De sa voix aiguë, elle s'est mise à rire très fort.

J'aurais voulu qu'elle ne sorte jamais de l'appartement. Elle courait le danger de se faire attaquer et, advenant le cas, je ne m'en serais pas remis. Les filles trop belles ne doivent pas s'exposer à la vue de tous : les hommes les voient, et deviennent fous. J'aurais tout donné à Maria pour qu'elle soit heureuse à l'intérieur. Je lui commandais son rompope dans une épicerie mexicaine, je préparais le ceviche et le flan de coco chaque samedi, je lui brossais les cheveux de cent coups tous les soirs. Je l'aimais. Oui, j'aimais Maria.

Je me suis toujours demandé ce qui habitait ses pensées. J'arrivais à la garder dans l'appartement, mais j'aurais voulu savoir ce qui se passait à l'intérieur d'elle. Quand j'avais parlé de la fille violée tout en sortant les bananes du sac brun, son visage s'était empourpré de joie en quelques secondes. Se sentait-elle menacée, éprouvait-elle de la sympathie pour cette fille, s'en fichait-elle complètement, y repenserait-elle dès que je serais parti ? J'aurais voulu installer des caméras dans l'appartement pour voir ce que faisait Maria pendant mon absence, la poursuivre dans ses états d'âme, dormir au plus près de ses rêves, m'imposer dans ses souvenirs et aller y jouer un rôle important, savoir ce qui se glissait dans ses nuits et la faisait grincer des dents pendant son sommeil.

IX

Dans un concert grinçant, les portes de ma cellule glissent de chaque côté du mur pour me permettre de m'engager dans le couloir menant directement à la salle de séjour. À la prison de Penetanguishene, voilà l'heure de la récréation des violeurs et des assassins d'enfance.

Dans le grand salon gris, deux agresseurs d'enfants-filles jouent au billard. Quatre autres, aux cartes. Je m'écrase dans un fauteuil, impuissant devant un vieux cube Rubik auquel il manque plusieurs cases de couleur. Évidemment, à 15 h, rien d'intéressant ne joue à la télé. J'écoute une émission de femmes, en pensant que cela plairait à Maria. De vieilles Barbies et d'anciens top models déchus jouent les grandes dames riches et tristes, à la merci de bellâtres à la mâchoire large comme un grille-pain. Ça soupire, ça fait des crises, ça apprend que sa mère est une traîtresse et ça perd sa fortune. On me traite de *fuckin' fagget*, et je change de poste.

Deux enfants édentés se préparent un sandwich banane-jambon-jujubes-persil. J'entends l'un des pédophiles murmurer à l'autre que sans les dents, c'est encore meilleur. Écœuré, je zappe. Celui-là hurle et un des violeurs le traite de *mother sucker, at least you could wait for their breasts to grow*. Un surveillant sort de sa cabine, règle l'appareil au poste *Documentaries* et confisque la télécommande.

À l'écran, un lion se cache sans se cacher, derrière des fourrés luxuriants d'un vert tendre. Au loin, on entend un piétinement, qui se transforme peu à peu en bruit sourd, répercuté dans le sol à en faire vibrer les hautes herbes. La suite sonore approche ; on distingue clairement le galop agité d'une troupe de bêtes à l'allure guindée. Montées sur des pattes grêles, habillées d'une robe jaunâtre, des cornes spiralées en guise de coiffure, les gazelles courent, pressées. Dans leurs yeux brisés par la conscience du danger, le lion distingue la peur et s'en délecte. Il salive, contemple un spectacle qui attend son entrée pour prendre tout son sens. Les gazelles croisent, à la dérobée, le regard du prédateur qui, déjà, rassemble ses membres postérieurs sous son ventre pâle, baisse la tête et frémit, l'œil alerte. Enfin il bondit, rompant le rythme coulant d'une harde de proies en fuite. Elles passent au trot, têtes à croupes, et reprennent leur allure vive en deux files rapides, contournant le lion. Elles savent. Il les fait attendre, ferme les yeux, et d'un élan vif, en mord une à la cuisse. Celle-ci s'écroule, oblige ses sœurs à l'éviter par de multiples prouesses. Ç'aurait pu en être une autre. Elle n'était ni malade ni plus fragile. Les paupières lourdes, une gazelle moyenne tombée par terre languit dans l'attente de l'ouverture de ses chairs comme d'un sac d'épicerie.

X

Quand mon oncle Tìo m'a montré à lire, je venais d'avoir huit ans. Il avait dit à mon père de me laisser un peu tranquille avec les bêtes et de m'envoyer à l'école. Ils s'étaient battus et avaient roulé dans un tas de fumier. Ils s'étaient mis à rire et, à partir de ce jour-là, je passai mes avant-midi à lire et mes après-midi à traire. On a lu *Cien años de soledad* pendant une couple d'années. Il y avait environ trente histoires en une seule. Mon oncle apportait du café, j'y faisais fondre du sucre. On trempait des morceaux de pain sec dans le liquide fumant et ce rituel me rendait euphorique. Ma mère s'occupait du bébé et mon père suait comme un porc dans l'étable pendant que moi je lisais.

Le café, les livres, l'insomnie et la queue raide vers le ciel : tout cela est arrivé dans ma vie en même temps. Mes nuits étaient traversées par des femmes à croupes rondes, par des filles sauvages tout droit sorties de la forêt avec des insectes plein les cheveux, des yeux fous qui m'effrayaient et des seins en triangle aguichant le ciel tout comme ma pine.

On aurait dit que mon oncle contenait toutes les histoires du monde. On lisait, oui, mais il m'en racontait aussi des passionnantes, tirées de son vécu. J'ai longtemps pensé qu'il était lui-même écrivain, mais que son bras droit tué d'un éclat d'obus l'empêchait de tenir un crayon. Il me racontait la guerre. J'apprenais la lecture et la politique. Je ne dormais plus parce que je préférais penser à toutes ces nouvelles choses qui me gambadaient dans le coco.

Encore aujourd'hui, dès qu'on m'enferme dans ma cellule, je m'allonge sur la couchette, les bras sous le crâne, et ça se met à galoper sous ma tuque. Ariane me revient en pensées, puis Maria, Anna, l'infirmière Smith et les autres filles violées. Je suis un enfant, un bébé, tiens! enroulé dans des couvertures, déposé au creux d'un berceau en bambou, entouré de filles qui m'admirent. Je chiale un peu, reçois en pleine bouche le mamelon flasque de l'infirmière Smith et m'y abreuve. Des poitrines généreuses veillent sur moi, voient à mon bonheur, s'affairent autour du berceau, seins paresseux qui suivent les gestes des filles, avec un demi-temps de décalage. L'une me lange, l'autre cuisine, on me cajole, me mène à la rivière, toujours blotti contre des torses généreux. Nous sommes au beau milieu d'une clairière paisible. D'une marmite s'échappent des effluves de tomates, de poivre et de viande. Autour de nous, gazelles et antilopes broutent, dans l'attente résignée d'une dévoration. Moi, l'enfant-animal difforme, j'orchestrerai le carnage. Des muscles mauves viendront claquer et mourir entre mes dents. Je chiquerai des organes vitaminés, encore frémissants de n'être pas tout à fait éteints. Une fois rassasié, je chevaucherai les croupes béantes, nulles, coiffées de blessures jamais cicatrisées. Depuis ma naissance, elles auront attendu ce moment ultime de la fécondation. D'autres Minotaures s'élanceront hors des chairs de ces filles, ouvertes par la force des choses. Les ventres vides des gazelles tuées s'envoleront entre les serres d'oiseaux violents. Leurs os légers rouleront là où le vent les mènera pour ensuite enrichir l'herbe et la vie souterraine, déjà alimentée à même leurs corps livides.

Un bruit de clefs dans la serrure me tire de cette rêverie :

— Torrès, Mino, *come here.*

XI

Je ne sais plus où je suis. Je m'éveille parfois avec la certitude que Maria dort à mes côtés. Je murmure en espagnol. Toujours au réveil, en entendant les portes grillagées s'ouvrir pour laisser passer les premiers détenus dans le couloir, je me crois au Guatemala, près de l'Inter-Americana, et de gros camions font vibrer notre maison. Ma mère qui prépare le café, Anna qui se maquille dans la salle de bains, la radio qui « griche », de petites araignées au plafond et un lézard qui descend le long du mur. Encore l'espagnol qui me vient aux lèvres. Puis je réalise que non, il faut parler une autre langue, je fais un saut par le français et je m'éveille enfin complètement, je vois ma cellule et j'entends les gars discuter en anglais. La réalité me prend de front, comme une mouche qui s'écraserait soudainement dans mon œil.

Il paraît qu'ils vont me retourner là d'où je viens, après mes seize années de prison. Il y a presque six mois que je suis ici, pris entre de grands murs lassants. J'ai l'impression d'être dans un hors-lieu, dans un non-pays, et de parler une langue empruntée, passe-partout. J'ai même oublié le nom du centre de détention dans lequel je me trouve, un mot qui sonne comme un prisonnier vomissant ses tripes.

J'avais choisi d'immigrer à Montréal pour plusieurs raisons. Premièrement parce qu'on y parlait français et que mon oncle m'avait enseigné cette langue. Dès qu'on avait eu terminé la lecture de *Cien años de soledad*, on l'avait recommencée mais en français cette fois-ci. Si bien que j'étais sûr qu'il n'existait au monde que ce livre, écrit dans mille langues, et qu'on pouvait le relire jusqu'à l'infini puisque, de toute façon, on en avait oublié le tout début, lu deux ans auparavant. Et par la suite, mon oncle ne m'avait fait lire qu'en français. On avait même fini par lire des poèmes remplis de femmes lesbiennes et magiques. Le Québec, c'était tout de même moins loin que la France, si je voulais revenir au pays. J'avais lu quelque part que Montréal était une ville cosmopolite et je m'étais dit : « Tiens, Maria pourra se faire quelques copines *latinas*. »

Violer était devenu trop facile au Guatemala. Désormais, j'étais un agresseur de calibre intermédiaire et je voulais un peu plus de défi. J'avais entendu dire que les filles du Canada étaient libres, qu'elles allaient à l'université, qu'elles faisaient de la politique, écrivaient des livres, qu'elles faisaient comme les hommes, quoi. Je voulais flétrir une fille blanche libérée, insoumise, intellectuelle et belle. Je lui ferais sa fête et elle verrait bien ce que la nature ordonne.

En prison, il n'y a que deux activités possibles : regarder la télé ou rêver. Mes rêves sont la seule chose qui m'appartient vraiment. Il y a les rêves éveillés, ceux que l'on force un peu, et les autres, les endormis, ceux qui sont logés en abyme dans le sommeil. Ces derniers sont les plus mouvementés. On tombe comme un fou dans des trous infinis, les gens qui nous entourent sont interchangeables, on est léger comme des bulles. Éveillé ou endormi, dans les rêves, on est toujours le point central, la plaque tournante du déroulement des événements. Par nous, tout advient. On possède la suite des choses à l'intérieur de nous-même et on peut choisir d'y mettre fin quand on le désire.

Les gardiens de prison n'aiment pas que les détenus rêvent. Chaque fois que je le fais, tôt ou tard, j'entends le bruit des clefs dans la serrure de ma cellule et un gros bourru vient me tirer de là, sans raison. Je voudrais violer une fille muette. Elle serait forte et se battrait contre moi. Sans filet de voix. Avant que la peur n'apparaisse dans ses yeux, elle me démontrerait ses techniques d'arts martiaux, en silence. Les voix féminines me font horreur. Elles me rendent fou. Plus leurs octaves sont aiguës, plus je leur tordrais un bras. Chaque femme qui parle est pour moi une torture. Elle s'en tirerait presque, mais je finirais sûrement par sortir mon arme et là, elle aurait enfin peur et écarterait les cuisses. Je la ferais jouir puis la voix lui reviendrait, donc je la poignarderais. C'est ainsi.

Elle monte en moi, je la sens. Je lui donne encore quelques minutes pour éclater. Je tremble, ma langue s'épaissit, j'ai la bouche pâteuse. Je halète un peu, elle tarde à se déclarer. Mon corps s'échauffe. Comme un raz-de-marée qui part du milieu de l'océan et s'amène pour se briser tout autour. Mes poumons se contractent et mes côtes s'écartent, j'ai les fesses serrées, mon corps est un terrain de guerre, un champ miné. Enfin, j'épilepse !

XII

Abonnement au Blockbuster, coupon pour un café gratuit chez Second Cup, billet de cinéma, carte de la Fromagerie Hamel, d'une boulangerie grecque du boulevard Saint-Laurent, menu d'un restaurant mexicain plié en quatre, quelques jetons pour s'adonner à des jeux électroniques au Palais de Cristal, sachet de haschisch, vingt dollars, une facture de manteau, une facture de Bell et une carte d'identité d'Ariane en secondaire III, avec son air de petite garce, de joyeuse perverse. Trois policiers ont étalé tout ce qu'il y avait dans mon portefeuille sur la table de cuisine, comme autant de preuves de ma culpabilité. Une odeur de sole pochée envahissait la pièce.

En apercevant les trois voitures de police par la fenêtre, j'ai compris que c'était chez une des filles aimées-violées que j'avais échappé mon portefeuille. J'ai ordonné à Maria d'aller dans notre chambre et, pour la rassurer, je lui ai raconté qu'on m'avait volé mon portefeuille au travail, que les policiers croyaient avoir découvert l'identité du kleptomane, mais qu'ils menaient d'abord une enquête.

J'étais presque soulagé qu'on m'arrête. Je crois que j'aurais continué de violer à un rythme fou. Les victimes m'apaisaient, je courais éperdument vers elles, elles me hantaient puis m'abandonnaient, il fallait alors tout reprendre, comme dans un théâtre répété à l'infini, stimulant par l'amélioration, l'ajustement de détails qui m'échappaient au départ, l'aisance acquise dans les mouvements, la fluidité des enchaînements, l'assurance grandissante, le plaisir amer d'offrir la peur en cadeau.

J'ai senti le métal plombé des menottes m'encercler les poignets. « Tu sais comment ça marche, non ? » m'a craché à l'oreille le gros inspecteur. J'avais attaché les chevilles des deux dernières victimes avec des menottes (trop grandes pour leurs mains fragiles, docilement offertes). Je souhaitais m'endormir et ressentais plus ou moins l'effet des coups portés à mon torse, l'étau d'une main pressant ma mâchoire, le rebond du caoutchouc d'une matraque sur mes muscles mous.

Maria criait, pleurait. On m'a emmené dans une voiture, sous les regards intrigués des voisins sortis sur leurs balcons pour l'occasion. Une odeur de poisson calciné s'attachait à mes pas, ma femme lançait des oignons aux policiers, en braillant un argot guatémaltèque épouvantablement vulgaire, égaré dans l'air sec d'un novembre impitoyable.

J'étais insensible à la scène comme devant le spectacle d'une belle aveugle qui chercherait son reflet dans le miroir. Jamais je ne violerais une aveugle. On peut voir plein de choses dans les yeux des filles qu'on possède. Ça se déroule en une séquence à trois temps. Premièrement, la surprise. La fille ne se méfie pas vraiment. Ariane a même ri ! (Mais Ariane, c'est Ariane.) Le meilleur est à venir. Il faut le guetter parce que ce moment est éphémère, comme le rayon vert à la fin d'un coucher de soleil. On voit alors, dans leurs yeux, la peur brute, l'effroi, la panique. À partir de ce moment, c'est comme si elles avaient déjà accepté de se faire violer. On les contrôle totalement ; elles se rendent. On peut faire ce qu'on veut d'elles, aucune résistance n'est offerte. Encore là, avec Ariane, la scène s'est passée autrement. J'éprouvais de la honte devant elle. J'avais l'air con parce qu'elle n'avait pas peur. Elle ne jouait pas son rôle de proie, n'avait pas l'air de comprendre ce qui se passait. C'est pour cette raison que je l'ai autant battue. Il fallait qu'elle sache que j'étais dangereux. Troisièmement – je tiens en horreur cette étape –, toute la tristesse et la peine du monde remplissent leur regard. Je bande les yeux des filles pour ne pas avoir à absorber cette vision d'horreur qui me tue. Leur regard me rappelle trop celui de Maria qui me supplie de lui faire un enfant. De toute façon, après avoir éjaculé, j'attends trois secondes et je me sauve.

XIII

Ma toux creuse imitait la complainte d'une bête esseulée appelant en vain ses semblables. Ou la lamentation du mammifère qui digère ses petits après les avoir avalés pour les protéger d'un prédateur. J'avais, pour la première fois de ma vie, un rhume d'hiver, et on était en plein procès.

De mes bronches à ma gorge, des sécrétions salées valsaient jusqu'à ma langue. Je fixais un verre sur le bureau, vide depuis déjà un bon moment. Pressentant l'élan d'une quinte grasse, j'avais bu celui de l'avocate. Je portais peu attention à son plaidoyer; je plaidais coupable pour trois viols et deux tentatives de meurtre. L'histoire finirait mal d'une manière ou d'une autre.

La troisième victime était là et me toisait, satisfaite de m'avoir craché à la figure, entourée de sa famille. On m'appelait «Monsieur» et on me vouvoyait tout en m'accusant. Je préfère la brutalité policière à l'hypocrisie judiciaire. Chaque fois que j'entendais mon nom, je cessais de tousser, sortais de ma torpeur, me retournais vers l'assistance et croisais les regards de rage de celle chez qui j'avais échappé mon portefeuille. Elle ne témoignait pas : elle était là et me fixait.

J'éprouvais un malaise. Pas à cause de ce que j'avais fait, non, mais à cause de ce regard qu'elle jetait vers moi et qui me transperçait comme un objet pointu. Ses yeux étaient vidés de la peur ; elle n'était plus offerte à moi sans défense aucune. Derrière elle, il y avait la famille et l'amoureux poignardé. En plus dilué, leurs yeux réverbéraient le même mélange de haine et de mépris. Pour eux, j'incarnais le mal.

J'espérais voir arriver Ariane. Qu'elle vienne faire un tour en cour et me voie comme il faut, sans ruban sur les yeux. Seul son colocataire était là et je m'amusais à le fixer. Il détournait le regard, manquait de courage. Ariane comprenait les raisons de mon acte. Peut-être avait-elle même un peu de compassion pour moi. Il y avait, dans sa chambre, une grande garde-robe. Je m'y étais caché, assis sur deux boîtes en carton, me méfiant des skis qui menaçaient de me dégringoler dessus. Sur les tablettes, des fioles colorées, des échantillons de parfum, des livres et des revues étaient entassés dans un vrai désordre de fille. Des cassettes brisées et des foulards effilochés, des bottines de ski, du détergent à lessive, une perruque, un vieil ordinateur poussiéreux, une bouteille de porto vide et une boîte de chocolats entrouverte contenant des crayons de couleur. Les jambes d'un déguisement de clown pendaient sur mes épaules. Un costume rose à pois blancs. J'espérais trouver le courage nécessaire pour bondir sur Ariane. Il le fallait. Sinon je serais sorti de la garde-robe lorsqu'elle serait allée dans la cuisine ou à la salle de bains et je me serais enfui. Son chat est venu me sentir. Elle a surgi… et on connaît la suite.

Vers 10 h 15, nous avons fait une pause et l'avocate m'a acheté une boîte de pastilles, m'expliquant que les choses allaient plutôt mal pour moi, que je prendrais probablement quinze ans de prison, tout au moins. Ce jour-là, je m'en foutais pas mal. Courbaturé, éreinté d'une nuit passée à tousser, la perspective d'avoir accès à un lit en permanence, de n'avoir de comptes à rendre à personne et de ne pas être obligé d'aller travailler m'enchantait. Le repos perpétuel était la solution qui convenait à l'accumulation de fatigue que je ressentais dans toutes les articulations de mon corps.

Si j'avais pu mourir sur-le-champ, je l'aurais fait.

XIV

Des lignes jaunes crevaient l'autoroute. Je les comptais rapidement, imaginant l'aiguille de ma mère cousant un bord de pantalon. Tout allait très vite. Je fixais désormais les lampadaires défilant au même rythme. De temps à autre, une pancarte saignait le ciel et hurlait des directions inconnues. Je m'endormais comme on viole : plein de furie. Le moteur de l'automobile me berçait sans conviction. J'aurais voulu que cet instant dure toujours, puis je me serais évanoui sans savoir si je m'endors ou meurs, exactement comme dans mes crises d'épilepsie.

Ariane était comme un poisson que j'aurais tiré hors de l'eau. Je n'avais jamais vu personne se démener ainsi. Elle était plus jolie que l'adolescente sur les cartes. Ariane est le contraire de Maria ; Ariane est la vie, Maria, la mort. Avec Maria, le mieux, c'est de dormir. Elle vous masse le dos et vous suce parfois pour vous éveiller. Si seulement je pouvais passer une nuit avec Ariane, je m'injecterais quelque chose dans les veines et j'insomnierais dans un délire extraordinaire de puissance. J'ai failli tuer Ariane avec mes mains, mais elle était celle qui méritait le plus de vivre. Dans sa bibliothèque, il y avait deux livres de Gabriel Garcia Marquez : *Cent ans de solitude,* mais aussi *Chronique d'une mort annoncée.* J'étais venu à Montréal pour violer Ariane. Elle était cette belle Blanche lettrée qui ne se laisserait pas faire. Elle ne comprenait pas pourquoi j'étais là au lieu d'écarter les cuisses et de s'offrir à moi pour que je la possède, que je la contrôle, que je mène la scène jusqu'au bout. Elle voulait fuir, tentait de m'asséner des coups avec ce qui lui restait d'énergie. Je n'avais jamais envisagé que les choses se présenteraient ainsi. Devant elle, je n'aurais pas pu bander. Pas plus que devant les deux policiers qui m'accompagnent. Ariane, Ariane, Ariane. Son nom résonne dans ma tête et se balance entre mes tempes. J'ai du respect pour elle et je sais qu'elle pense à moi en ce moment.

Les deux policiers me jettent des regards vainqueurs. J'imagine très bien la banalité de leur quotidien. Pour eux, je suis le méchant qu'ils ont capturé et mis en cage. Ils en sont fiers et raconteront l'histoire à leur bonne femme qui se pâmera devant leur virilité. Ils sécréteront un enfant, pour se convaincre de leur amour.

Quant à moi, j'aurai agi. J'aurai eu un moment d'emprise sur ma vie, sur celle d'Ariane et de bien d'autres filles qui passaient devant moi au bon moment. «Récipient percé de trous et utilisé pour filtrer sommairement des liquides», voilà une passoire. J'avais appris ce mot en travaillant au marché Jean-Talon. «Faut laver les pommes. Prends la passoire», avait dit Pierre, un autre vendeur. J'étais allé voir dans le dictionnaire le soir même en rentrant chez moi. Je m'étais dit que Pierre avait peut-être déjà violé une fille. La livreuse de pain dans son gros camion, étendue sur les miches moelleuses et les baguettes chaudes. Ou peut-être la fille qui achetait souvent des fraises en nous souriant? Finalement, il n'y avait pas grand-différence entre les filles et les passoires.

XV

«Notre société a fait de l'homme un guerrier actif et, de la femme, une consolatrice passive et une infirmière. Cette vision des choses doit changer, ces rôles traditionnels ne doivent plus servir de modèles. Nous devons reconnaître l'égalité des sexes», radote le Dr Parker. J'ai horreur qu'on me fasse la morale. Parker est un conquistador; il tente de nous convertir, de nous piétiner et de nous évangéliser, de nous inculquer le bon sens de sa morale. La seule règle à laquelle j'obéis, c'est de n'en avoir aucune. Si je n'avais pas étranglé Ariane, je me serais écroulé de honte. Elle menait la partie. Dans ses yeux, il y avait de l'amusement, de l'incompréhension, plein de choses bizarres. Ariane était peut-être trop habituée à la gentillesse. Moi, j'étais violent, armé et redoutable : pour me survivre, elle devait comprendre qu'elle n'avait pas affaire à un clown.

Je n'expliquerai pas à Parker pourquoi je viole. « Je ne ferai pas vos devoirs à votre place », lui ai-je dit. Ça, ce n'est pas très bon pour moi, je crois. Je ne savais pas ce qu'était un viol avant de lire *Cronica de una muerte anunciada* de Garcia Marquez. Je ne comprenais pas ce qui se passait. Mon oncle s'était étonné de la chose et on avait commencé à parler de filles. J'étais avec Maria depuis quelques années et on faisait rarement l'amour.

— Violer, c'est prendre quelqu'un de force, m'avait expliqué Tio, en bougeant du bassin.

— Ah bon, d'accord ! J'ai donc été violé par des *putos* sur un volcan.

Il avait beaucoup ri et m'avait raconté comment, lors de guerres qu'il dirigeait en tant qu'adjudant-chef, les femmes y passaient en rafale. Tio et ses soldats marchaient sur des sols desséchés jonchés de corps inertes. Dans de vielles cabanes, ils trouvaient parfois une femme maigre avec un enfant. Qu'est-ce qu'elle y goûtait la femme ! La meute au complet lui rendait visite. Après leur passage, il ne restait plus rien de ces deux-là. Dès lors, mon oncle avait entrepris de faire un homme de moi. Il me prêtait son camion et son geste signifiait : « Va te cueillir une femme. » Lorsqu'on me rendra ma liberté, j'aurai encore envie d'enfoncer ma rage dans des corps de filles, plus que jamais, sans doute. Il y aura beaucoup d'agressions, car toute cette amertume et tout cet ennui que je possède déjà en puissance croissent en prison et devront être jetés hors de moi.

Cet après-midi, au canal *Documentaries*, on a présenté un reportage sur les grands volcans d'Amérique centrale. J'avais treize ans la première fois que je suis rentré dans une fille. C'était près du volcan Arenal, au Costa Rica. Le père de mon ami Manuel allait y reconduire un convoi de moutons et on était montés à bord, Manuel et moi. Il nous avait laissés chez sa sœur et devait repasser nous prendre quelques jours plus tard. Eduardo, le cousin de vingt ans, venait d'acheter une automobile et voulait nous emmener passer la nuit à San José. Là-bas, c'était fête à cause des élections qui approchaient. Les gens étaient habillés en vert et blanc ou en rouge et bleu, selon leurs allégeances politiques. Eduardo nous avait acheté une bouteille d'alcool de canne et nous buvions dans un parc en attendant qu'il revienne d'une discothèque. Je calais le cacique tant ce qui se passait autour de moi m'éblouissait. Le sol était jonché de serpentins, de guirlandes et de confettis rouges, blancs, verts, bleus. Trois hommes se bagarraient sans vraiment y croire. Les enfants qui nous avaient quêté des cigarettes étaient installés sous un banc, le nez dans un sac plein de colle. Accroupis sur la pancarte barbouillée d'un des candidats, deux chiens forniquaient; le mâle, plutôt minuscule, se démenait comme si sa vie était en jeu, il s'engouffrait dans une grosse bête qui semblait ignorer son chevauchement.

— Tu veux un pomélo farci?

Maria et sa petite sœur Lorenita vendaient des fruits et des fleurs.

— Tu coupes le pomélo en deux et tu trouves des sucreries à l'intérieur: du sirop, des fruits confits, un peu de miel, des trucs croustillants. C'est ma mère qui les fait et tout le monde se demande comment elle les vide pour ensuite les remplir sans que ça paraisse. C'est un secret. Cherche. Si tu trouves, je te le donne.

J'ai versé un peu d'alcool à Maria dans un chapeau en cône. On a mangé un pomélo. Sa sœur est allée rejoindre les enfants sous le banc. Je ne savais plus où était Manuel et je m'en foutais pas mal. Pour tout dire, je commençais à être saoul. J'ai embrassé Maria dans le cou et on est allés sous un arbre. On roulait dans les confettis comme dans de la neige. Eduardo est arrivé en klaxonnant comme un déchaîné. Il semblait bien y avoir cinq personnes dans la voiture. «Mino, viens ici, et je te jure que ce sera la plus belle soirée de ta vie», a lancé Eduardo avec un sourire énigmatique. Manuel était déjà à bord. J'ai voulu emmener Maria et Lorenita, mais Eduardo a grimacé, comme embêté. «Où tu veux qu'on les mette? Sur le toit?» Je lui ai demandé de me laisser deux minutes.

Maria replaçait le plateau à pomélos autour de son cou, en cherchant l'attache, perdue dans l'abondance de sa chevelure. « Je ferai tout en mon possible pour revenir dans ce parc demain après-midi », lui ai-je juré. Je lui ai laissé la bouteille d'alcool en lui demandant de boire un petit coup à ma santé. Elle riait, sa langue rose et son odeur d'agrumes me ravissaient. Sa sœur est arrivée, senteur de colle, et puis j'ai rejoint Eduardo et Manuel dans la voiture en pensant que la seule chose qui me déplaisait chez Maria, c'était sa taille. Debout, elle me dépassait un peu.

Sur la banquette arrière, Manuel et moi étions coincés entre deux femmes. Eduardo et son ami Leandro ont dit qu'elles étaient des copines très chaudes. J'ai demandé à Leandro si elles étaient amies avec sa mère ou quoi, parce que moi, je ne les connaissais pas. Il m'a foutu un *cigarillo* dans la bouche et m'a dit que dans trente minutes ces femmes seraient mes meilleures amies et que je ne voudrais plus m'en séparer. J'avais une poitrine abondante sur l'épaule et cette gorge empestait le parfum. On me jouait dans les cheveux et j'imaginais que c'était Maria.

Nous roulions vers l'Arenal. Leandro étudiait les sciences naturelles et il y travaillait. Le volcan était parfois dangereux, mais pas à ce moment-là. Des coulées incandescentes perlaient du côté nord, à éviter, mais nous nous dirigions vers le flanc sud. D'une poussée violente, le monstre éructait des pierres ardentes et des jaillissements de feu. Au fil de notre ascension, les arbres rapetissaient et leurs feuilles devenaient larges comme des parapluies. Exalté, Eduardo hurlait combien la vie était belle.

— Manuelito, Minolito, c'est le plus beau jour de votre vie ! dit-il en stoppant son véhicule, la radio restée allumée.

Eduardo et Leandro ont fait danser les femmes. Nous regardions et faisions la même chose, maladroitement. Elles étaient plus grandes que nous. J'aurais voulu vivre tout ça avec Maria. Conchita avait de la barbe et une petite moustache en duvet sombre. Ses sourcils se touchaient, c'était moche. Toute sa chair était flasque et sa grande bouche molle m'apeurait. Sa langue pendante, ses cuisses, ses mollets ballants et ses seins plus gros que sa tête : le corps de Conchita était comme un labyrinthe dans lequel je n'avais pas envie de me perdre. Je voulais une langue de chat à saveur d'agrumes, des dents pointues, des yeux vifs, une robe un peu déchirée. Pas de moustache ni de poils. Derrière nous, le volcan se démenait.

Ce qu'il y avait sous sa jupe ressemblait à un animal mort, à une marmotte éventrée. Leandro roulait dans l'herbe avec Conchita, tandis qu'Eduardo se laissait lécher le sexe par Victoria sur le toit de sa voiture. Maria m'habitait, me poursuivait, j'avais l'impression qu'elle me voyait et je regardais l'Arenal au lieu des femmes, parce que j'avais honte. Ce que je faisais était sale. Je voulais partir, mais j'étais pris au piège sur ce volcan. Une phrase me revenait en tête, comme le refrain d'une chanson : « Tu veux un pomélo farci ? » Ma marchande de fruits avait un grain de beauté juste sous l'œil.

Elles ouvraient les jambes. Eduardo et Leandro avaient gagé sur Manuel et moi. On prenait place avant le début de la course. Leandro était de mon côté. C'était l'équipe Leandro-Mino montée sur Conchita contre Eduardo-Manuel et leur jument Victoria. Je ne voulais pas être là. Manuel a atteint la ligne d'arrivée en moins d'une minute. Quant à moi, j'avais l'impression de m'engouffrer dans une blessure ouverte, de tomber dans une mer de chair tiède. Je regardais le volcan, les seins immenses de Conchita, les pétillements phosphorescents se précipitant hors de la bouche de l'Arenal, j'entendais les beuglements de Leandro, les gémissements de Conchita et faisais tout en mon possible pour ne pas voir ses yeux.

Tous mes muscles s'étaient raidis. Mes mouvements m'apparaissaient ridicules, répétitifs et dignes de colère. J'avais le sentiment que ce n'était pas exactement ce qu'il fallait faire. Que je m'exécutais comme un lézard, que je remuais du milieu du corps à la manière d'une balançoire tordue. Conchita était comme un animal abattu, qui expulse ses derniers jets d'air. Ce duvet à la gorge qu'elle m'offrait sans scrupule. Ses yeux révulsés, à faire peur. Et Maria qui devait encore vendre des fruits confits dans un parc bordélique. Je pensais à ces choses pour oublier mon sexe avalé par le ventre de Conchita. Il m'a semblé que j'avais atteint un point de non-retour. Je continuais et n'allais nulle part. Je pensais à autre chose pour anesthésier ces sensations. C'était trop intime pour être étalé à la vue de Leandro, d'Eduardo, de

Manuel et de Victoria qui replaçait sa jupe, tout près. Mon corps entier était gonflé, des fleuves de sang déferlaient dans mes veines, à grands flots, pour m'irriguer le sexe. Il m'a semblé que la scène se poursuivrait jusqu'à l'infini. J'allais être malade.

Je me suis retiré subitement en écrasant le petit doigt de Conchita, et j'ai vomi dans un buisson. Eduardo et Leandro nous ont fait entrer dans l'auto, sèchement. Durant le trajet du retour, personne n'a dit un mot. Eduardo crachait régulièrement par la fenêtre. Leandro a monté le volume de la radio. L'odeur des femmes m'écœurait. Elles sont descendues dans le centre-ville de San José. En les payant, Eduardo s'est excusé, a dit qu'il croyait qu'on était des hommes, mais que, finalement, on n'était encore que des enfants. Victoria replaçait ses cheveux en bavardant et Conchita repeignait ses lèvres en rouge. On est repassé devant l'endroit où j'avais rencontré Maria.

Le parc était désert et défraîchi, comme le sexe de Conchita. Un chien reniflait une poubelle. Si je n'avais pas été si saoul, j'aurais été enragé. Les champs de canne à sucre ont défilé longtemps de chaque côté de la route, en silence.

Je me suis réveillé le lendemain, au milieu de l'avant-midi, avec l'impression d'avoir beaucoup rêvé, un sentiment de honte doublement entretenu par les souvenirs de Maria et d'Eduardo, et le sexe qui brûlait. Un tapage venait de la cuisine : la grand-mère était décédée pendant son sommeil. « Va le réveiller », criait la tante de Manuel en larmes. Eduardo s'est précipité dans la chambre où l'on dormait et a ouvert les rideaux d'un geste autoritaire. « Tu t'enroules ce ruban autour de la pine et tu te lèves. Abuela est morte. » Manuel s'est assis dans son lit, a grimacé en saisissant le rouleau de gaze et il est sorti de la chambre. Une heure après, la maison était vide.

J'ai pris mon petit-déjeuner en écoutant la télé dans le salon, à côté du corps de la vieille exposé sur le buffet. J'avais préparé un plat de fruits pour me laver la bouche en prévision de ma rencontre avec Maria. J'ai mâchouillé longuement des petits citrons juteux, je me suis couvert les gencives de tranches de melon et j'ai frotté mes dents avec des pelures d'orange. Mon sexe élançait, alors je l'ai laissé pendre dans un verre d'eau chaude en espérant que la douleur passe.

J'ai pris ma douche et me suis frotté le gland en hurlant de douleur : des grains blancs et durs perçaient ma chair déjà à vif. J'ai enveloppé mon sexe dans la gaze que Manuel avait oubliée près du bain d'Abuela, j'ai enfilé des vêtements propres puis, contournant les pieds de la morte qui dépassaient du buffet, j'ai quitté la maison.

J'ai fait le trajet en autobus. J'ai dû attendre Maria durant une heure. Le parc avait été nettoyé et la soirée de la veille me revenait en tête par bouffées étranges. Je savais maintenant ce qu'était une fille. Ce pouvait être un mélange de fruits sucrés, de dents pointues, de caresses fragiles, de baisers timides et de petite sœur droguée ; ou encore un grand sexe troué et mou, un parfum agressant, des boucles d'oreilles qui font du bruit, du rouge à lèvres sur le sexe d'Eduardo, des jambes ouvertes qui attendent sans rien dire en vous refilant des mini-volcans qui démangent. La femme était un être que je pouvais maintenant juger : elle était jolie et fragile ou alors vénale et cynique.

La truffe humide d'un chien m'a réveillé, suivie du rire cristallin de Maria. À partir de ce jour-là, elle ne m'a plus quitté, sauf quand je travaille ou que je viole. L'oncle de Manuel est revenu de son voyage dans le Sud du pays pour assister aux funérailles et nous sommes restés au Costa Rica durant deux semaines. J'étais toujours avec Maria ; Manuel et sa famille semblaient trop sous le choc de la mort d'Abuela pour se soucier de mon absence. Les éruptions de furoncles sur mon sexe ont cessé au bout de dix jours. Maria est rentrée avec moi au Guatemala et nous nous sommes mariés à dix-sept ans.

XVI

On a rassemblé les sept crapules de la prison : trois violeurs et quatre pédophiles. On n'a pas commis nos crimes pour une cause et cela fait de nous des monstres, des animaux, des mystères. Le grand Jack, chef de l'aile trois, a tué huit personnes pour des histoires de drogue et de règlements de comptes, ce qui fait tout de même de lui un moins cruel aux yeux des autres, un plus logique et un moins dangereux que moi.

Mon voisin a agressé une fille qu'il avait emmenée chez lui après la fermeture des bars. Durant les séances de thérapie, il passe son temps à murmurer la même question : « Pourquoi est-elle venue chez moi, pourquoi s'est-elle étendue sur mon lit si elle ne désirait rien de tout ça ? » Même pendant son sommeil, il répète parfois cette phrase. L'autre violeur est un homme influent, un gérant d'artistes. Plus d'une fois, il aurait abusé de son pouvoir pour forcer une fille à baiser avec lui. Il est plus âgé et nous méprise. Il sortira d'ici peu, grâce à ses contacts.

Un des pédophiles a agressé des dizaines d'enfants. Un Anglais d'Angleterre avec un air ahuri en permanence. Il est maigre et son visage ovale semble provenir du corps d'un autre. Plus j'y pense, plus je trouve qu'il a une tête d'enfant, de clown, de bébé joufflu avec des yeux de trisomique. Il ne parle jamais et on jurerait qu'il s'éveille d'un coma profond. Tous les matins, il mange deux œufs à la coque.

Physiquement, les trois autres se fondent dans la masse. L'un dirigeait une garderie avant que le scandale n'éclate, l'autre est vendeur de souliers, et le troisième, professeur d'université. Ils sont froids et ennuyants. Dans la salle de séjour, c'est toujours la même chose : l'imprésario lit des revues dans un coin, ces trois-là et l'autre violeur jouent aux cartes ou au billard, Crâne d'œuf – l'Anglais – fait des mots croisés, et moi, je regarde la télé. Quand la télécommande n'est pas confisquée et que le surveillant semble absorbé dans sa paperasse, je fais exprès de choisir une émission d'enfants et Dieu sait qu'il y en a, l'après-midi, des *niños* dans des parcs et des garderies. Des enfants à qui on apprend à lacer leurs espadrilles, recroquevillés sur le plancher, fendus en quatre à force d'essayer de compter leurs orteils. Des mères qui leur mettent des chapeaux sur la tête, de grosses tuques en laine, et des autobus jaunes qui viennent les chercher. Dans les émissions pour enfants, les adultes ont l'air soit de débiles attardés, soit de pervers qui iraient jusqu'à se tremper le sexe dans un seau de Smarties pour amener des petites bouches édentées à s'amuser avec. De temps à autre, je vois les quatre pédos se tourner brièvement vers l'écran. Et je souhaite qu'on soit filmés, que le Dr Parker voie cela, et qu'il constate l'échec de ses thérapies bidon.

XVII

À dix ans, j'ai tué mon père. Je ne l'ai jamais dit à personne, mais maintenant que je suis en prison… Je l'ai raconté aujourd'hui pendant la thérapie. Si je m'intègre bien au groupe, Parker a promis d'arrêter les comprimés anti-érection, alors j'invente toutes sortes d'histoires. Celle-ci a la particularité d'être véridique, même si c'est la moins vraisemblable de toutes. Lorsque je rebanderai, je vais enfin pouvoir faire autre chose que regarder la télé ou rêver. Du moins, mes rêves auront une fin, ils éveilleront une sensation.

Mon père est mort quand j'avais dix ans, donc. Il conduisait de gros camions pleins de bêtes à travers tout le pays, comme le père de Manuel. Un matin, il m'a dit de venir avec lui ; il voulait m'amener à l'encan et me montrer l'Inter-Americana qui venait d'être rallongée d'un segment. J'ai dit : « J'y vais à la condition que tu me fasses tenir le volant sur l'autoroute. » C'était une drôle de journée. Des éclairs griffaient le ciel comme des étoiles filantes. Le camion roulait à toute allure sur l'asphalte impeccable, si lisse qu'on aurait dit un tapis roulant. Une vieille femme vendait des crêpes dans un petit kiosque, sur le bord de la route. Son visage était comme une pomme séchée. Elle arrosait tout avec une sorte de mélasse claire et ses cheveux traînaient dans la pâte à crêpe. Les bêtes beuglaient de temps à autre et j'avalais mon repas en fuyant leur regard doux.

Mon père se curait les dents et je le harcelais pour conduire. Il pointait les caïmans dans les cours d'eau bordant l'autoroute pour détourner mon attention. Des gouttes de pluie ont fouetté le pare-brise. « Tu conduiras plus tard. Maintenant il pleut, et c'est glissant. » Je me suis endormi, bercé par les battements réguliers des gouttes de pluie, engourdi par l'odeur de l'urine des veaux pour me réveiller au milieu de l'après-midi avec une poignée de porte imprimée sur la joue. On arrivait à l'encan.

On croisait des camions vides et d'autres pleins de bêtes superbes ou d'animaux de boucherie. Deux types d'acheteurs étaient présents : les éleveurs et les bouchers. Les premiers manifestaient leur intérêt à l'aide d'un bâtonnet de plastique vert et les seconds signalaient leurs offres par des plaquettes rouges. Avant l'arrivée des bovins, on assistait au spectacle des chevaux. Ils venaient d'Amérique pour la plupart, sauf quelques étalons andalous et de costaudes juments hollandaises, importés dans le but de renforcer les races autochtones. Mon père avait une passion pour les chevaux. Les bovins commençaient à l'ennuyer ; ainsi, depuis quelques années, il s'était lancé dans l'élevage de chevaux Paso Fino. Il possédait un étalon, trois poulinières avec des croupes énormes et quatre poulains. Mon père voulait faire de nous rien de moins que les meilleurs éleveurs de Paso Fino d'Amérique centrale.

Les chevaux avaient été douchés, bouchonnés, pansés, et leurs pattes splendides contrastaient avec les jarrets écorchés de nos veaux. Ils voyageaient avec des couvertures sur le dos et des bandages capitonnés enroulés des sabots jusqu'aux flancs. Un Américain annonçait la race des chevaux et ceux-ci entraient dans le manège, nerveux. Un andalou moutonné aux sabots peints en noir, les oreilles bien dressées, les pointes frisées vers l'intérieur, flanqué d'un sexe d'un mètre de long qui lui faisait comme une cinquième patte, a fait son entrée au pas de parade, mené par une Espagnole en robe écarlate. Les acheteurs ont redoublé de « ooh ! », des sifflements ont jailli des quatre coins du manège, mon père a cessé de téter son cure-dent et je lui ai demandé s'il regardait la jambe morte de l'andalou ou les froufrous de la femme. Il m'a donné une petite claque derrière la tête en marmonnant que je pouvais boire le fond de sa bière si ça me chantait. L'étalon a fait demi-tour en pivotant sur les antérieures, j'ai vu ses flancs battre très vite et ses naseaux se couvrir d'une écume mousseuse. L'Espagnole est passée devant nous ; elle était si maquillée que je me suis demandé si ce n'était pas un travesti. Les genoux du cheval montaient presque dans les reins de sa maîtresse, il s'emballait, mais elle le dirigeait d'une poigne ferme avec un sourire sexuel qui révélait ses gencives.

Après la vente de l'étalon, les gradins se sont vidés. Dehors, on glissait les couvertures flamboyantes sur le dos des chevaux, on leur rebandait les pattes, des boulets aux jarrets, et on les faisait entrer dans d'autres véhicules, ceux des nouveaux acheteurs. Le deuxième encan a alors débuté, le plus abject, celui de la nourriture et des animaux qui paradent comme des pièces de viande, comme des grillades en puissance. Il y avait moins d'acheteurs dans le manège, surtout des hommes à plaquettes rouges. Seul le prix d'un taureau foncé, coiffé de cornes vigoureuses, a été discuté par les éleveurs. Mon père a avancé son camion près de l'entrée du manège pour laisser s'échapper les veaux dans l'allée, affaiblis par tout ce chemin parcouru en déséquilibre sur l'autoroute. Ils déambulaient lentement, égratignés aux flancs, trop las pour résister.

Dehors, il faisait déjà nuit. Les chevaux mâchaient du mauvais foin et les bovins avalaient une avoine déjà germée. Je suis monté sur le toit d'un véhicule de transport pour voir de haut ce qui se passait. Mon père semblait soulagé d'avoir vendu ses veaux, tous atteints d'un mal étrange. Il avait eu très peur que la maladie affecte nos chevaux et il comptait se débarrasser des bovins au plus vite. Notre chèvre en était morte la première, les veaux avaient été contaminés et il fallait agir avant que la famille de Paso Fino ne soit décimée. Il parlait avec un homme qui versait de l'alcool fort dans des gobelets pour ensuite le siphonner de sa bouche édentée, couronnée d'abcès, desséchée comme une vieille éponge. L'homme tenait en laisse une vieille vache jaune qui broutait non loin de là et souhaitait apparemment la vendre. Mais mon père m'avait confié qu'avant de racheter des bovins, il faudrait nettoyer l'étable et le véhicule à la chaux et à l'eau chaude, et les éventer pendant une semaine afin d'en chasser la maladie qu'avaient couvée les veaux.

L'Espagnole déchaînée, montée sur un grand cheval au galop, est repassée devant moi, suivie d'un maigrichon qui cravachait un poney gambadant aussi vite qu'il le pouvait. Elle a enjambé la clôture qui séparait le site de l'encan des champs de maïs pour aller s'y perdre à toute allure, puis s'est ravisée en faisant soudainement pivoter sa monture, afin de voir où en était son compagnon. Démaquillée, elle ressemblait davantage à une femme. Elle avait troqué son sourire de tombeuse contre un rictus railleur et sa robe rouge corrida contre l'habit des cavaliers : des pantalons gris souris ajustés, un veston sombre soulignant l'étroitesse de sa taille et la rondeur de ses hanches, et de grandes bottes de cuir noir. Mais le plus important était son chignon défait et ses cheveux abondants qui lui tombaient aux reins. Le poney refusait catégoriquement de franchir la clôture. Il stoppait devant l'obstacle, malgré les coups de cravache et la rudesse de son cavalier honteux. L'Espagnole riait de lui, s'époumonant, dans le but de se payer sa tête de perdant et de les assassiner de mépris, lui et sa picouille. Elle lui a demandé si oui ou merde il voulait toujours s'offrir à elle. Si c'était le cas, il fallait traverser la clôture au plus vite parce qu'elle risquait de se lasser du ridicule de la situation. Elle riait à en faire vibrer nos tympans et le tuait en le traitant – de son accent espagnol rond comme ses hanches – de clown qu'on n'engagerait même pas dans un mauvais cirque. Le gars se vengeait sur son canasson en le rouant de coups. Elle lui a ordonné de le laisser en paix en lui jurant qu'en moins de cinq minutes, elle parviendrait à franchir cet obstacle risible, même avec un poney. Elle a dit qu'elle ne fricotait qu'avec les excellents cavaliers et qu'il n'avait malheureusement pas passé l'examen. Elle l'a pointé comme l'aurait fait une maîtresse d'école. Déjà perdu dans un abîme de honte, d'une voix étranglée, il a répliqué que la *señorita* pouvait bien la faire seule, cette course truquée car, de toute façon, la *señorita* semblait croire que nul n'égalait sa grandeur et qu'il en avait assez de son orgueil mal placé. Mais elle s'était déjà enfuie à la course entre deux rangées de maïs et son cheval ruait en faisant voler la terre jusqu'à lui pour le salir encore plus. On ne voyait plus le profil racé de l'Espagnole, que ses cheveux fous qui dépassaient des épis, mais on entendait toujours les éclats de son rire théâtral, foudroyants comme mille petits monstres d'arrogance.

Cette fille méritait la mort.

Mon père me cherchait, car il fallait partir au plus vite. Ma mère avait demandé que nous revenions la nuit même. J'aurais pu me cacher ou rester sur le toit du camion encore un bout de temps sans qu'il ne me trouve. J'avais envie de guetter le retour de l'Espagnole. Mais comme mon père semblait fatigué et chambranlant, je suis descendu sans attendre. Il sentait le sucre, l'alcool et la sueur. Il avait tant transpiré que les aisselles de sa chemise étaient passées du bleu au vert. Je connaissais par cœur cette odeur vinaigrée qu'il charriait du matin au soir, surtout lorsqu'il besognait dans l'écurie. Parfois j'avais envie de l'assommer d'un coup de pelle tellement il puait. Ça me prenait, comme ça, puis je m'en voulais d'avoir imaginé une telle chose et je comprenais qu'un homme prisonnier d'une telle odeur était plus à plaindre qu'à battre. Il avait bu du rhum ou du cacique et s'était envoyé un grand café noir, pour contrer l'effet des boissons de la joie. Nous sommes montés à bord du camion dont la boîte vide déviait à la moindre courbe.

Mon père était saoul mort.

Sur la route, il a parlé des femmes, puis de ma mère, il a dit combien il valait mieux éviter de mêler les femmes et les animaux, car tu as bien vu comment elle était, l'Espagnole, cette sorcière, ah! j'ai remarqué qu'elle ne te laissait pas indifférent, mais il faut fuir ces filles-là comme la peste, sinon elles te perdent, mon petit Mino. « Papa, maintenant j'aimerais tenir le volant », lui ai-je dit parce que, de toute manière, il avait du mal à circuler en ligne droite. Si je tenais le volant et qu'il s'occupait des pédales, ça irait peut-être déjà mieux, du moins on éviterait de heurter les rares voitures et camions qui venaient en sens contraire à cette heure tardive.

Vingt minutes plus tard, je tuais mon père. Je me concentrais sur la ligne jaune brisée. J'imaginais un bord de pantalon infini cousu au fil jaune. Cette vision m'engourdissait, alors je comptais les lampadaires pour varier. J'avais sommeil. Mon père marmonnait encore. Il parlait des hanches des femmes, de leur dos, des jambes, comme s'il en dépeçait une devant moi. Il a baissé la vitre pour cracher et je lui ai dit de la laisser ouverte. Mes yeux sont devenus secs et je me suis endormi.

Là, il y a un flou. J'ai fait une fausse manœuvre en m'éveillant : un virage à droite de 90 degrés. J'ai été brusquement éjecté par la fenêtre gauche tandis que mon père est allé s'échouer dans le fossé, transpercé par le pare-brise éclaté, écrasé par le camion encore contaminé d'un mal étrange.

Mon père est mort saoul.

J'ai dit : « Papa, sors de là, vieux soûlaud puant. » Je l'ai traité de tous les noms : ivrogne, loque, tête de gland, tas de moisissure, chien à trois pattes, mauvaise haleine, veau atteint d'un mal imaginaire, seau plein de chaux, poumon troué, rat d'écurie, pomme de route au rhum, mauvais cavalier, poisson mort, flaque de vomi rose, ordure ménagère, femme, viande, steak, sang, toutes les mauvaises odeurs du monde réunies dans une même pièce, tête de sabot de poney con comme une mouche. « Réveille-toi, paresseux !

Maman va s'inquiéter. Elle ne dormira pas de la nuit. Tu veux qu'elle s'imagine que quelque chose de grave est arrivé, hein ? Tu veux qu'elle soupçonne le pire du pire ? Peut-être qu'elle va croire que nous avons eu un accident. Remonte, vieux déchet, poubelle des fous, filet de pisse, rejet. Tu veux te faire manger par les caïmans, c'est ça ? T'es vraiment con parce que les caïmans, ils ont des dents pointues comme des os de souris, aiguisées comme des couteaux. Alors dépêche, sinon tu auras un sourire de reptile planté dans le mollet et il paraît que ça peut rester marqué. À vie. Non, mais, relève-toi, vieille chose laide. »

J'ai crié ainsi, en direction du fossé, jusqu'à ce que le jour envoie ses premières lueurs dans la fraîcheur de la nuit, comme les représentantes paresseuses du soleil. Je donnais des coups de pied à toutes les gouttes de rosée qui perlaient le long des brins d'herbe. Il y avait des cris d'oiseaux et de singes. Un tatou, non loin de moi, mâchait des fleurs à peine ouvertes tant il était tôt. Le ciel mauve me donnait la nausée.

Un camion rempli d'animaux est arrivé en ralentissant. Le chauffeur était un homme gris avec un chapeau de cow-boy et sa femme portait un manteau à franges. Ils étaient terrorisés, brisés, mal a l'aise. On est retourné sur le site de l'encan. J'en avais assez de ce zoo de merde, de ces bêtes partout. J'ai dormi toute la journée, comme un enragé, là où les balles de foin sec et la mauvaise avoine moisissaient en germant.

Après les bêtes avec mon père, j'ai vécu les fruits avec ma mère, dans une autre petite ville, en bordure d'une autre autoroute. Et le début des crises d'épilepsie. C'est après la mort de mon père que la mousse m'est venue à la bouche et au gland. Tout à coup, comme ça, des liquides blanchâtres ont commencé à perler au bout de mes orifices. Avant que ça jute, j'avais l'impression de jouer avec ma vie et de mourir de bonheur, de rapetisser et de grandir. Je recevais une surdose de volts. J'étais la proie d'une décharge violente, d'un orage électrique dans la pine ou le cerveau. Au moins, les éjaculations, je pouvais les provoquer. L'épilepsie me venait moins souvent, mais quand une crise me prenait, je me cachais, dans le foin si possible, et me laissais envahir. Elle me possédait, elle était l'envers d'un viol. J'étais attaqué. Je perdais tout contrôle. Je devais me laisser faire comme les filles qui n'ont plus d'autre choix que la résignation. Ensuite je m'endormais, exténué.

XVIII

Le viol est un jeu. Il faut trouver les bons joueurs, sinon tout cloche. C'est un jeu de rôle : un jour on fait son épicerie, le lendemain on suit une fille, on l'attache et on la consomme. On la menace avec une arme, on la viole et on retourne chez soi en se dépêchant pour ne pas manquer *Les Simpson* à la télé, dans vingt minutes.

Quand je repense aux viols, je note les accrocs au déroulement des choses et je m'arrange pour les corriger avant la fois suivante. Exemple : chez Ariane, j'ai perdu beaucoup de temps en coupant le ruban avec mes dents et mon couteau. Si elle s'était énervée, je lui aurais planté mon arme dans le cœur. J'étais surexcité et l'adrénaline me poussait à agir avec promptitude. Je n'avais pas de temps à perdre. J'avais pensé aux ciseaux pour le prochain viol, puis j'avais eu une bonne idée : des menottes. Tout serait réglé en peu de temps.

Quand je viole, je démolis quelqu'un, en étant au plus près de lui, d'elle, en elle, contre elle. Je suis parfois si emporté, si heureux de projeter mon être dans un corps que, à la limite, ça pourrait presque ne pas être une fille. Le corps de l'autre prend la forme de mes élans brutaux, s'adapte à mon ardeur et à ma puissance. Lorsque je suis sur le point de faire une crise d'épilepsie, les gardiens m'enferment dans une cellule entièrement recouverte de caoutchouc. Je voudrais me fendre le crâne à force de foncer partout contre les murs que j'en serais incapable : je rebondirais comme un ballon. La chambre élastique me rappelle l'intérieur d'un corps qu'on force.

Par la sensation qu'il procure, le viol ressemble aussi à une crise d'épilepsie. Un sentiment de pure puissance, de perte et de désespoir s'empare de moi et je dois me rendre au bout du viol ou de la crise, parfois même malgré moi, parce que des gens attendent la suite des choses. Il faut bander et violer, ou

alors laisser la crise nous envahir sans résister et attendre qu'elle s'achève.

Il y a plusieurs similitudes entre la crise d'épilepsie
et l'orgasme. Dans les deux cas, un vide attire la joie
et attend le plaisir. Les tremblements, l'abandon, le
malgré-soi, la force inconnue, les muscles durs, l'agitation. Tout se termine par l'émission d'un liquide
blanc : bave mousseuse ou sperme laiteux. Ensuite, la
tristesse et la honte m'envahissent pendant trois secondes. Le corps se recharge. Il y aura une prochaine
fois.

Avec Ariane, il a fallu tout interrompre. Un gars
est arrivé et je me suis enfui. Sans doute son colocataire. J'ai quitté la chambre d'Ariane dès qu'il est entré
dans la sienne. Il en est sorti pour me pourchasser,
croyant que j'étais un voleur, ignorant qu'Ariane gisait
ligotée sur son lit. On a couru dans la rue déserte,
les joues brûlées par le froid cassant de novembre. À
un moment donné, j'ai fait demi-tour pour foncer
sur lui ; j'ai sorti mon arme. Résigné, il est retourné
sur ses pas. Au premier coin de rue, je suis allé à droite.
Je ne savais plus où je me trouvais, perdu dans ce
quartier inconnu de l'Est de Montréal. J'essayais en
vain de me rappeler les noms de rues que j'avais mé-
morisés en suivant Ariane. Coincé dans ce labyrinthe,
j'ai dû demander à une femme où se trouvait la station de métro.

XIX

Aujourd'hui, c'est la journée des visiteurs. Maria va se pointer, avec ses cheveux un peu plus longs chaque fois. Elle a promis de les laisser pousser, jusqu'à ce que je sorte d'ici. Je ne le lui ai pas encore annoncé, mais ils balaieront ses chevilles, car mon séjour sous les verrous durera seize ans, c'est ce qu'ils ont décidé au procès.

Elle apportera les lettres de mon oncle Tio, qui vit maintenant sur une île dans une cabane. Ensemble, on parle de filles. Il habite avec deux jeunes orphelines, deux mini-putes d'une vingtaine d'années, qu'il fait vivre en échange de petites faveurs. Comme je le connais, il doit se la faire pomper au moins cinq ou six fois par jour! Il m'écrit toujours en français, de la main gauche, celle qui est encore intacte. Les filles recopient des poèmes de Rimbaud qu'il joint à ses lettres. Il leur apprend le français à elles aussi. Je lui ai tout dit à propos des viols. Il sait que je suis en prison. Je préfère quand même qu'il envoie les lettres à Montréal. J'ai trop peur que quelqu'un les lise ici, au centre de détention. Lui, il en a violé des filles! Mais dans un contexte de guerre, c'est différent. C'est une tactique: les soldats doivent semer leur sang dans le ventre des femmes du pays attaqué. On peut aussi les tuer après, si on veut. C'est libre.

Dans sa dernière lettre, il parle d'un voyage en Asie. Il connaît des gens importants, mon oncle Tio. Un jour, avec ses amis importants, il est allé manger des sushis sur une Japonaise nue. « Elle était transparente, avec des veines pourpres. Ses cheveux en chignon sur sa tête étaient si brillants qu'on pouvait s'y mirer. Sa peau exhalait un vif parfum de saké. Le wasabi traversait ses hanches, étendu jusqu'à son mont de Vénus épilé, tout gonflé de thon rouge. Du gingembre couvrait entièrement ses seins de garçon. Seul le clignement discret de ses paupières nous indiquait qu'elle vivait. Nos langues aspirant le poisson froid sur son pubis ne lui arrachaient aucune expression. Des rouleaux délectables d'algues salées, des chairs rosées semblables au sexe ouvert d'une femme, l'amertume des chairs tendres, il y avait aussi ce poulpe bleuté disposé en étoile sur son ventre plat comme une feuille de palmier, tout cerclé de pétoncles, du sésame sur ses pieds grands comme ma main, des poissons blancs et des tranches d'avocat sur ses cuisses, du flétan dans ses paumes et quelques crevettes entre ses doigts las. C'était cannibalesque. » Mon oncle a toujours adoré les filles, jusqu'à vouloir les manger. Il y avait une note au bas de la feuille : « Tu trouveras un paquet joint à cette lettre : trois briques. Depuis longtemps, je veux te faire découvrir Sade. Bonne lecture, Mino. »

Il doit être très tôt, cinq ou six heures du matin. Je ne peux plus dormir. Hier, j'ai fait une crise d'épilepsie et le Dr Parker m'a donné des somnifères. Ça doit faire au moins quinze heures que je suis allongé dans un lit. Au départ, il y avait l'infirmière Smith à mon chevet. J'essayais de résister au sommeil pour la regarder et renifler son odeur de sueur. J'aime aller dans son cabinet de nonne de prison parce que ça sent elle. Elle est là qui s'affaire, nettoie de petits instruments et remplit son bocal d'ouate. Des effluves d'alcool stérile rejoignent sa moiteur et j'entends des morceaux de vitre s'entrechoquer sans se casser pendant que je suis nû à l'attendre derrière elle. Assommé par les médicaments, je me suis endormi avant qu'elle ne se retourne.

J'ai tant rêvé la nuit dernière que je me sens aussi amorphe qu'après une nuit blanche. Mon premier rêve en est un d'évasion, une histoire de légèreté. Il est anonyme ; tous les prisonniers doivent le faire régulièrement. Mes pas ont peine à toucher le plancher froid de la prison tant ils rebondissent. Je suis en état d'apesanteur et suis le seul à l'être. En battant des bras, je réalise que je peux voler, plus naturellement encore que je ne marche. Mes poumons sont comme deux bulles d'air et mes os sont de mousse. De leurs cellules, les détenus m'observent sans comprendre. Je voudrais bien leur expliquer que j'ignore ce qui m'arrive, mais déjà mes bonds élastiques m'ont mené à des lieues de là. La vitesse de mes déplacements est la seule chose que je ne maîtrise pas encore complètement, mais ça viendra, je le sens. Des gardiens ont été alertés. Ils me poursuivent en sautillant pour attraper mes talons (je circule maintenant à plat ventre, parallèlement à l'horizon). Devant la porte suivante, le Dr Parker attend avec un filet à papillons géant.

Ma tête heurte le plafond de la prison et le toit se détache en montant vers le ciel. Tout ce que je touche annule la loi de la gravité. Dehors, ce n'est plus le Canada : je suis au Guatemala. Les choses ont changé depuis mon départ pour l'Amérique du Nord. Les maisons ont été reconstruites et je ne retrouve plus la mienne. Je me rapproche du sol, parce qu'à cette hauteur je cours le risque d'entrer en collision avec les oiseaux mouchetés qui me tournent autour avec des petits crabes aux couleurs vives dans le bec. Le réveil est brutal, comme si je tombais de très haut dans un volcan sans fond et que seul l'arrêt du rêve pouvait abréger cette chute interminable.

Mon deuxième rêve déborde de couleurs éclatantes. Il y a l'infirmière Smith, mais en y regardant bien, je constate que c'est ma mère. Il y a aussi le Dr Parker, mais son visage est en vérité celui de Crâne d'œuf. Les gens de mon entourage ont échangé leur tête avec d'autres, conservant pourtant leur voix propre et leur personnalité. On est à l'intérieur de la prison et j'ai transformé le cabinet de l'infirmière Smith en kiosque à fruits et légumes. Des fraises reposent dans les bocaux d'ouate, des noyaux de melons remplacent les comprimés dans les pots à médicaments, et j'ai piqué des raisins sur les aiguilles des seringues. Sur la couchette où l'on grelotte nu en attendant l'infirmière qui rit de l'autre côté du miroir, il y a des tonnes de fruits mûrs : papayes, ananas, bananes, cantaloups, mangues, citrons, goyaves, noix de coco, avocats et cœurs de palmiers. Maria arrive avec Ariane et quatre autres filles violées. Elle a le corps d'Ariane et vice versa. Deviner qui a le corps de qui, dans leur cas, est facile parce que je connais bien le corps de Maria et qu'Ariane porte un anneau au nombril. Je leur explique comment savoir si un ananas est prêt à être mangé. «Il faut d'abord frapper le fruit de la main; lorsque le son produit est ferme et compact, c'est bon signe. Les ananas jaunes sont meilleurs au goût, par opposition aux ananas blancs, plus acides. Mais ces derniers peuvent être utilisés lors de la cuisson afin d'attendrir la viande. Lorsque l'ananas est mûr, vous devriez pouvoir enlever une des feuilles qui le coiffent sans difficulté. Par ailleurs, il est bon de garder des ananas trop durs chez soi. Si un violeur se cache chez vous et que vous lui lancez ce fruit à la tête, sans doute aurez-vous le temps de quitter l'appartement avant qu'il ne reprenne ses esprits.» Elles trouvent la blague hilarante. C'est de l'humour bourreau-victime. Maria demande si j'ai des pomélos, afin qu'elle puisse les farcir. «Non, mais tu peux toujours essayer avec les citrons. Mes petits criollos sont juteux et sucrés.»

Soudainement, tout se gâte: des seringues remplacent le centre tendre des cœurs de palmiers, les avocats renferment des boules d'ouate, des pilules en guise de noyaux répandent une poudre crayeuse sur la chair orangée des cantaloups, puis Ariane s'étouffe avec une clef en avalant de la papaye. C'est la clef des menottes qui se trouvent dans la noix de coco que je tente de fendre avec mon couteau. L'odeur stérile de l'alcool médical vient anéantir celle des fruits, mariée aux émanations acides des aisselles de l'infirmière. Fin du second rêve.

Je repose, exténué, au milieu de mon lit de détenu qui ne m'a jamais semblé aussi inconfortable, et caresse mon sexe afin de vérifier si l'effet des médicaments est toujours aussi engourdissant.

XX

Tout mon espoir déposé au creux des mains d'Ariane. Étalé dans ses paumes, enroulé autour de ses doigts comme des milliers de fils. Je ne détesterais pas devenir sa marionnette. Être le pantin d'Ariane. Lui obéir comme un cheval dressé, comme un étalon ayant une tête de porcelaine et des pattes molles (et un méga-sexe, comme celui de l'andalou). Je deviendrais sa bête personnelle ; je n'obéirais qu'à elle seule et les gens verraient qu'Ariane, c'est quelque chose.

À Maria, j'enverrais une petite ruade mesquine pour qu'elle aille jouer ailleurs. L'écarter et l'envoyer paître, là-bas.

C'est peut-être parce que je ne l'ai pas violée que je suis obsédé par Ariane. Ariane, une crise d'épilepsie stoppée juste avant le climax. Ariane bougeait trop, elle jouait mal son rôle de proie, se débattait au lieu de se laisser entraîner. Il fallait arrêter l'Ariane qui criait, l'Ariane qui a ri en me voyant sortir de sa chambre. Transformer son insolence en peur, pour que je puisse redevenir le prédateur que je suis.

Ariane avec ses grands yeux curieux. Elle appelle la suite des choses en tirant sur un fil et me presse sans que j'en aie envie. Le genre de fille qui insiste pour conduire en automobile et qui, au bout du compte, le fait mieux que vous. Elle n'annonce pas la destination finale et ne regarde que la route avec le sourire en coin de quelqu'un qui s'apprête à vous jouer un tour. Vous feignez de vous en balancer, enragé en silence. Elle roule très vite, l'aiguille de l'indicateur de vitesse tremble. Vous lui annoncez que le moteur surchauffe et elle répond : « Ta gueule, petit con. » Elle ralentit dès l'apparition d'une affiche sur laquelle est inscrit « Dépotoir ». Je n'ai jamais vu ce mot-là et je lui demande ce qu'il veut dire. Elle ricane, rigole, rit, éclate, pleure d'hilarité.

Il s'agit d'un dépotoir d'abattoirs. Les fumées noires de la putréfaction m'enveloppent, et je pense soudainement à l'infirmière Smith. « Tu es encerclé par une couronne d'abcès et d'anthrax fumant », fait remarquer Ariane, assise sur la tête immense d'un taureau. Ses cuisses confortablement écrasées froncent les sourcils de la bête dont le regard bleu aveugle s'est éteint, y fixant la peur. Un anneau lui pend au nez, comme l'image grossie à la loupe de celui du ventre d'Ariane. Le soleil fonce dans leurs bijoux et se répercute sur les pissenlits. Ariane s'étend lourdement, les épaules derrière les cornes du taureau, tapotant les joues de ce dernier avec ses paumes. Ici il fait moite. Des intestins mauves et du sang brun, des yeux blancs et des têtes poilues, des petits sabots comme autant de cailloux et des nœuds écœurants, gonflés comme des vesses-de-loup, qu'Ariane se plaît à faire éclater.

« Faudra mettre de la chaux partout, sinon ça va s'infecter. » C'est tout ce que je trouve à dire pour l'instant. Ariane m'a coupé la parole et la voix, elle m'a scié la langue avec ses balades sanglantes du dimanche. Cette fille est pleine de courage et de sauvagerie. « T'as déjà joué au soccer avec une tête de veau ? » finit-elle par me demander. Elle m'en envoie une en plein ventre et m'éclabousse de liquides rouges et verdâtres. « Devine combien de globules rouges il y a sur ton manteau, maintenant », m'ordonne-t-elle. Elle invente des jeux dont j'ignore le but et s'amuse, se paie ma tête, celle du veau et celle du taureau. La voilà maintenant qui tire sur une corde pourpre et visqueuse, un long intestin caoutchouteux. Elle l'attache à la corne du taureau et me glisse l'autre extrémité dans la main : « Allez, tourne ! J'ai envie de sauter à la corde. » Elle bondit très haut dans les airs et chaque fois qu'elle retombe, des bruits humides de succion se font entendre. Elle m'arrose de globules blancs et rouges. Elle ne s'en lasse pas, attend que j'avoue ma fatigue et mon écœurement. « Tu sais quoi ? dit-elle enfin en ralentissant le rythme. En dessous de nous, il y a plein d'ossements. Prochaine épreuve : trouver l'os le plus long. » Et la voilà qui plonge dans le mou et en ressort après quelques minutes, triomphante, une côte acérée en main.

« Torrès, *come here* », et les bruits de clefs dans la serrure de ma cellule…

XXI

Je la sens qui s'annonce, prête à exploser, comme une éjaculation. Son aura annonce l'implosion à venir. Mon sexe est tendu, enfin. L'infirmière Smith me recueillera dans son cabinet après la crise comme une mère espère son fils fugueur. Son immense buste pendra sous ma gorge et mon sexe pointera en direction du sien, pendant qu'elle me glissera des bâtonnets sur la langue. C'est lorsqu'elle fouille dans mes oreilles avec ses petits instruments que son aisselle m'arrive directement sous le nez. Parfois l'odeur est si âcre que j'en suffoque, comme si quelque chose brûlait.

Je vais faire cette crise seul, en silence dans mon lit, et tourner la tête sur le côté pour cracher l'écume qui me vient aux lèvres. C'est ainsi que l'on viole. Ma seule véritable crainte, lors des agressions, était d'entrer en crise. La surexcitation, les transports agités, cette frénésie folle et emportée qui s'empare de moi lors des crises et des viols sont si semblables... Les convulsions auraient brisé le rythme, j'aurais perdu le contrôle, j'aurais eu honte d'éjaculer par la bouche une salive mousseuse et de m'écrouler de fatigue. Des gens attendent la suite des choses, les filles violées attendent la fin de l'agression. Il faut accomplir ce que l'on a en tête et ne pas se laisser distraire, ne pas penser à l'épilepsie. Car à y penser trop, on la provoque, on lui annonce qu'on l'attend et elle vient à nous à la manière d'une éjaculation précoce.

Je tremble un peu et mon corps se raidit. J'ai mon sexe en main comme une arme. Je souris, prêt à sombrer dans le grand vide.

DEUXIÈME PARTIE

Ariane

I'm still alive.
I'm still alive.
I'm still alive.

Tori Amos, *Hotel*

I

Hambourg s'étendait devant moi, les jambes ouvertes. D'une tour, j'apercevais les néons des sex-
shops, éveillés les uns après les autres par le déclin du
soleil. Le front collé à une fenêtre en bulle, j'assistais,
amusée, à la naissance de jaunes alarmants, de roses
clinquants et de verts clignotants, excités par leur
propre mouvement automatique. Un garçon s'est
élancé dans le vide au bout d'une corde élastique en
crevant le panorama d'un trait vertical. Mon regard
a accompagné sa chute et sa remontée, son va-et-vient
de moins en moins spectaculaire, ses bras toujours
très droits qui tranchaient l'air et narguaient le poids
d'un ciel fendu. Six églises, certaines aux clochers
tronqués par les bombardements de la guerre, se dressaient comme autant de sexes en éveil, offrant à ma
vue la force renversée d'une Allemagne frêle. Depuis
le 4 novembre précédent, je pressentais des signes de
trop-plein de désir partout où je posais les yeux.

Un touriste français a demandé au garçon d'ascen-
seur ce que Hambourg célébrait le 7 mai pour expliquer toute cette agitation dans le port. « La ville
célèbre l'anniversaire du port, commémorant la con-
cession par Frédéric Barberousse, en 1189, du droit
de naviguer librement sur l'Elbe inférieure. L'exercice
de ce droit, menacé par la piraterie et les prétentions

féodales des autres riverains, le Danemark en particulier, exigeait des autorités de la ville une surveillance qui n'a pu se relâcher qu'au XVIIᵉ siècle », le tout exposé dans une langue impeccablement articulée. « Nager sur ses eaux en toute liberté, à l'abri des pirates, exhorte à la méfiance », a-t-il ajouté en m'adressant un sourire discret surmonté d'un coup d'œil professionnel.

J'ai marché vers le port en épiant une nymphette et son chien ébouriffé. Le nez retroussé, chevauchant des talons hauts non sans fierté, Lolita se débattait avec un casse-gueule multicolore et jouait la séductrice en lançant aux marins des regards qui en disent long. Le bonbon perlait aux commissures de ses lèvres, elle attrapait les fleurs qui lui plaisaient au passage pour le plaisir de composer le bouquet le plus dépareillé quand soudain, une voix de maman a appelé : « Hildegard ! » Elle a stoppé son immense bête d'un geste brusque et ses pantalons serrés turquoise ont révélé le corps d'une enfant. Lolita a fait demi-tour en enfouissant son bouquet dans mes bras et, semblable à une petite grenouille mouillée, a rejoint sa mère.

Des ancres pesant trois fois mon poids laissaient traîner leur ombre à flanc de paquebots.

En voyage, lorsque j'ai faim, il m'arrive de promener mon regard sur la foule ou sur les clients d'un restaurant, d'identifier quelqu'un, comme ça, pour rien, et de dire au serveur : « La même chose que cet homme. » À la fin du repas, je demande le nom du plat et je fais des découvertes. Ce soir-là, j'avais choisi un marin bourru, au visage écarlate. Je m'attendais à manger de la viande ou du poisson, quelque chose de protéiné qui se chique en faisant du bruit et qu'on fait passer avec du vin qui tache.

Une femme distinguée s'est dirigée d'un pas ondoyant vers un kiosque peint en vert. Intriguée par ce qu'elle pouvait bien vouloir engloutir sur le port avant de se rendre au théâtre ou au concert, j'ai abandonné le marin et réorienté ma trajectoire vers celle de la dame aux hanches orbitales. J'ai patienté derrière elle, humant à pleins poumons les effluves de miel de son parfum, et suis repartie moi aussi avec mon cappuccino au rhum et ma soupe à l'anguille.

De gros bidons renversés, exhalant des odeurs salines, servaient de table. J'ai plongé ma cuillère dans le bouillon vert-de-gris qui me laissait perplexe et fait rouler l'anguille sur ma langue, étonnée du velouté de sa texture et de la discrétion de son goût, puis mes dents ont déchiré le morceau de chair laiteuse. Un homme dans la cinquantaine épiait ma silhouette et souriait. Ses yeux naviguaient sur mes contours, vagabondaient au large de ma personne, chaviraient sur mes cuisses, m'empêchaient de me concentrer sur le goût subtil de la soupe au serpent de mer. L'ignorer n'arrangeait rien ; il semblait sur le point de s'approcher. Je me suis tournée vers lui et j'ai tiré la langue, offrant à sa vue une bouillie de poissons et autres téléostéens que sa présence insistante m'empêchait de savourer. L'homme s'est éloigné cependant que j'absorbais mes premières gorgées de café encore brûlant.

Il y avait, dans mon sac, des habits d'homme. Avant que je parte, la blonde de mon frère m'avait donné un chapeau, des verres fumés et un imperméable :

— Oui mais, Isabelle, il n'y a plus de place dans mes bagages.

— Roule l'imperméable et écrase le chapeau, c'est tout. Il peut être très pratique de passer pour un gars des fois.

J'étais en Allemagne depuis trois jours, et déjà je voyais une utilité aux guenilles du grand-père d'Isabelle. Me transformer en homme était la clef qui me permettrait de m'aventurer dans la ruelle poisseuse de Hambourg : Reeperbahn. Si Amsterdam leur consacre tout un quartier, Hambourg concentre tous ses vices en une seule artère. La veille, en voulant m'y rendre, je m'étais fait intimider par une prostituée juchée sur des talons épineux, pendant qu'une autre versait sur moi un gobelet rempli d'urine. En lavant mon manteau à l'auberge de jeunesse, j'avais fait des plans pour ce soir. Je m'étais composé un personnage. Je jouerais un maigrichon honteux d'aller voir les putes, engoncé dans des vêtements défraîchis, fuyant le regard des femmes derrière de grosses lunettes ridicules. Elles devaient en voir souvent des comme ça.

Ce soir-là j'entrerais. J'enfilerais le déguisement et cesserais de me demander si un homme me suit, un peu comme lorsque je traverse le Village gai, à Montréal. L'impression de n'intéresser personne, d'aller incognito, persona plus ou moins grata, mais non susceptible d'être filée. J'ai de ces petites lubies, des croyances pas vraiment logiques, mais qui malgré tout me rassurent. Et depuis novembre dernier, je cultive tout ce qui neutralise les implosions, même les ventilateurs en hiver. « *Sex* », donc, ce mot en avant-plan sur toutes les enseignes de la ville, cesserait de n'être qu'un terme traduit en mille langues. Il aurait désormais une odeur, une couleur, j'en connaîtrais l'arrière-scène obscène. J'ai fait glisser la mousse du cappuccino dans ma gorge en tapotant le fond du verre, et cherché des yeux un endroit où me changer.

Faite homme, je me suis dirigée vers la Reeperbahn. Il était 22 h, 16 h à Montréal. De savoir qu'il faisait encore clair au Québec me rassurait, d'une certaine façon, comme si le quartier chaud de Hambourg n'était qu'un lieu imaginaire, un décor de théâtre. Des indices m'indiquaient que j'y étais presque. Sur les cartes postales, des femmes nues habillées de dentelles aux couleurs criardes avaient remplacé les clochers, les poissons et les cargos. Des cuisses ouvertes peintes sur les portes d'un bar annonçaient que l'entrejambe se trouvait à l'intérieur. Malgré mon déguisement d'homme, je ne m'étais jamais sentie aussi fille. Un monde s'ouvrait droit devant.

Une odeur prenante d'humidité me montait au collet et m'écœurait : la reine Pornographie avait les aisselles moites. Mes pas collaient à l'asphalte. De plus en plus de femmes aux avant-cœurs étranglés dans des corsets lustrés erraient sans pourtant déserter un territoire bien gardé. Une couronne de doubles-godemichés annelés avec lumière intégrée décorait la vitrine d'un sex-shop, à la manière d'une guirlande de Noël. Ici, le sexe avait dépassé le seuil de la tentation pour plutôt se laisser aller à l'ostentation.

«*Flashdance*», «*Dirty Dancing*» et autres vieux *hits* des années quatre-vingt rythmaient le déhanchement des putes. Je me suis engagée dans la ruelle en vitesse. À la place de l'une d'elles, je me serais dit : « Tiens, voilà un petit pervers excité comme dix, nerveux et intimidé, qu'a envie d'en fourrer une », et je me serais trouvée ridicule. J'ai remonté les lunettes sur mon nez et élevé le regard. Une grande dame de type espagnol drapée dans une robe rouge roulait de la hanche derrière une fenêtre. Je lui donnais quarante ans, peut-être plus, à cause des minces fils argent qui parcouraient sa chevelure. Elle prenait des poses à la flamenco, avec son échancrure jusqu'à la cuisse et ses reins cambrés. Elle cherchait à soutenir mon regard ; je fuyais le sien. Elle a baragouiné quelque chose qui ressemblait à « lesbienne » et je suis allée ailleurs.

L'ambiance de franche camaraderie qui régnait ici m'étonnait. Les hommes se parlaient entre eux et ça riait fort. On voyait des marins en grande conversation avec des putes plus grandes qu'eux. Sauf quelques-unes, les prostituées étaient plutôt belles. Elles ressemblaient à des sur-femmes, avec des cils interminables, des seins ronds comme des balles, montés jusqu'aux clavicules, l'arc de leur dos, le galbe de leurs mollets, leurs faux grains de beauté à la joue et leur chevelure foncée. Personne n'avait l'air de se sentir coupable de quoi que ce soit, les hommes s'attardaient dans la ruelle, racontant que Felicia, c'était quelque chose, mais qu'Andy, pour les pipes, n'avait pas sa pareille. On parlait surtout anglais et allemand avec de drôles d'accents fracassés.

Retour à l'auberge de jeunesse, sous le choc.

II

Je reviens, particulièrement allumée, d'un cours de poésie. Il est 17 h 30, la porte n'est pas verrouillée et mon chat sort dès que je l'entrouvre. Je m'empresse de faire jouer le nouveau disque de Portishead, acheté l'après-midi même près de l'université. J'enlève mes boucles d'oreilles, m'asperge le visage d'eau froide, prends les messages de la boîte vocale et mets des pizzas surgelées au four. De retour dans ma chambre, je m'étends sur mon lit, me love dans l'édredon gonflé de plumes d'oie et trouve deux pièces de vingt-cinq sous derrière l'oreiller. La porte de ma garde-robe est entrebâillée, je me relève et la ferme. Le téléphone sonne, c'est mon frère, nous discutons une dizaine de minutes, « Alex, je dois te laisser pour cause de pizzas synthétiques sur le point de calciner ». Avant de me rendre à la cuisine, j'allume la télévision pour écouter les nouvelles de 18 h. Génériques de fin d'émission à tous les postes ; j'éteins, sans me douter que je défrayerai moi-même les manchettes du prochain bulletin. Début de la quatrième pièce du disque.

Retour dans le corridor, une main gantée est posée sur le cadre de la porte de chambre. Je m'en fais la remarque qu'aussitôt un homme armé apparaît, le crâne enveloppé dans un capuchon et le regard dissimulé derrière des verres fumés. Et moi de me mettre à rire, croyant qu'il s'agit d'une blague d'un ami de mon coloc.

En lisant un livre ou en regardant un film, on s'attend au pire, à l'émergence du *méchant*; il en va autrement dans la réalité. On a tendance à tenir sa banalité pour acquise, à avoir bêtement confiance dans le monde, à diluer la méfiance dans le fleuve du quotidien. Pourtant la réalité entraîne parfois la vie plus loin que la fiction n'oserait le faire, de peur d'y perdre en vraisemblance. C'est du moins ce que j'ai compris ce 4 novembre 1997. Je lui demande ce qu'il fait ici, apercevant soudain une arme dans sa main. Il est déjà trop tard. Il bondit sur moi, irascible.

Bourrade reçue au coin de l'œil, le manche du couteau abattu en haut de ma joue presque dans l'iris. Je ne savais pas ce qu'était la violence, je peine à la dire même encore. Avant de raconter la scène aux policiers, j'ai dû fouiller dans le dictionnaire pour connaître le nom des coups portés. Au moins, il y a de beaux mots : trempe de talmouses (on dirait le nom d'un potage à l'émincé de crabe africain dans un grand banquet), horions et soufflets relevés de meurtrissures (comprendre sorbet citron-lime parachevé à la vodka), contusion du visage au complet, lésions de toutes sortes et le sang qui me pisse hors du nez (entendre médaillon saignant de veau attendri) ; et, pour dessert, des mots en « ent » : ébranlement, tamponnement, élancement ; ça y est, je me rends (îles flottantes avec coulis de framboises). Voilà, on m'a cuisinée et maintenant, ma chair sera dévorée ?

Je ne comprends toujours pas de quoi il s'agit. Bien sûr, dans une ruelle, j'aurais interprété la scène différemment, mais dans mon appartement… Je suis trop occupée à me demander comment il a bien pu entrer pour me concentrer sur sa main gantée qui ferme la porte à clef. C'est la faute de mon coloc, il l'aura laissée déverrouillée. Et c'est moi qui payerai pour.

Il se jette encore sur moi, par-derrière cette fois, ses genoux dans les miens. Je tombe sous la menace d'une arme blanche appuyée sur la gorge. Je me laisse cueillir comme une pomme abîmée. À cet instant précis, je m'imagine allongée dans un bain de sang, la jugulaire tranchée, l'agresseur en cavale. Une impression d'irréalité m'assaille, je suis un personnage des romans noirs de Bret Easton Ellis dont l'action se déroule dans un quartier paumé de New York. J'existe dans la trame d'une fatalité qui n'est pas réellement mienne, je n'ai plus d'emprise sur ma vie.

Peut-être qu'un voleur, surpris par mon arrivée, souhaite se sauver avec mon ordinateur et mes appareils électroniques ; collaborer est la chose à faire, la présence d'une arme et toute cette rage qu'il me lance en plein visage m'y invitant fortement. Il m'attache les mains dans le dos et me bande la bouche et les yeux. Je me retiens pour ne pas rire de lui, empêtré qu'il est dans ses gants de cuir. Il peine à se mettre le ruban dans la bouche pour le couper avec ses dents. Il s'énerve, tente de le trancher avec son arme aiguisée, tout en hésitant à me laisser liberté de mains (avec raison, car je me lèverais d'un bond pour fuir). Derrière lui, un pot de crayons avec des ciseaux bien en vue. Je souris intérieurement, m'imaginant les lui offrir. C'est long, il est maladroit et mon calme contraste avec son agitation gauche et sans style.

III

Je flânais dans les jardins baroques de Hanovre avec deux Australiennes rencontrées à l'auberge de jeunesse. L'endroit était peuplé de personnages étranges qui auraient fait bon ménage avec les monstres *soft* de mes cauchemars d'enfant. Des mouches géantes se mouvaient au son d'instruments tibétains, dont la musique gutturale donnait une touche surréaliste à des jardins dans lesquels Wagner ou Beethoven auraient été de mise. Trois grosses Anglaises frisant la soixantaine déambulaient en gloussant, de leur voix chantante, des « *Absolutely gorgeous* » à n'en plus finir.

Un fantôme rouge sur échasses s'est approché d'un enfant pour l'emprisonner entre ses bois. Le gamin a hurlé, mais peine perdue, le monstre attendait qu'il se taise. Écarlate et échevelé, comme si le fantôme avait déteint sur lui, le gamin est parvenu à se dégager de son emprise. Rien à voir avec la bienveillance des Mickey et Minnie Mouse, le sourire greffé au visage. J'observais l'enfant en pleurs, ses parents qui riaient, lorsqu'un frisson de terreur a parcouru ma colonne vertébrale : un homme déguisé en pêcheur malintentionné venait de me décocher une claque avec un poisson détripé, dans le cou, pour ricaner. Mais moi je ne rigole plus avec les cous, non.

Au bout de l'allée de tilleuls se trouvait un labyrinthe de hauts cèdres. Nous nous y sommes aventurées, sourire en coin, croyant à un jeu pour enfants… et y avons passé deux heures.

J'ai commencé par perdre les Australiennes, réalisant que ce supposé jeu d'enfants était étourdissant. De retour au centre pour une énième fois, j'ai été prise de vertige : j'étais incapable de repérer l'endroit par où j'étais arrivée. Tout était symétrique, il n'y avait aucun point de repère, pas même une girouette ou encore une poubelle.

Le sens de l'orientation est un peu comme la confiance dans le monde : il faut le perdre pour en saisir la valeur. Et puis si par hasard on le retrouve, l'état de carence est comblé par un équilibre et non un ravissement.

IV

Il me jette sur mon lit et m'écrase le visage dans l'oreiller. Je manque d'air et ne vois rien. Assis sur mon dos, il demande si j'habite avec quelqu'un. Il veut savoir si j'ai une voiture et une carte de crédit.

Je n'ai rien de tout ça, pauvre con. T'avais qu'à te rendre chez un P.D.G. de Brossard sorti pour la soirée si tu voulais te remplir les poches. Ça me rappelle ces séances désagréables chez un dentiste qui vous menace l'intérieur de la bouche en vous posant des questions auxquelles vous ne pouvez répondre, la gueule grande ouverte. Sauf qu'en ce moment, on m'oblige plutôt à me la fermer.

L'agresseur se lève, répète que si je fais tout ce qu'il demande, ça ira très bien, « et n'oublie pas que j'ai un couteau ». Il a un accent espagnol et il est surexcité. Errant sans grâce comme un serpent dans un aquarium trop étroit, il demande où se trouve mon portefeuille. Je sacre intérieurement de n'avoir que de la monnaie, environ deux dollars en monnaie. Je ne comprends pas. Pourquoi la vermine chez moi ?

Il renverse mon sac d'école et rage de n'y rien trouver qui vaille le coup. Je pense à me sauver en calculant la distance à franchir pour atteindre la porte. Quelques secondes de plus sont à prévoir en raison de mes yeux bandés qui m'empêchent de voir où je mets les pieds, puis, une fois la poignée atteinte, encore quelques secondes, le temps de faire demi-tour et d'ouvrir la porte, avec mes poignets attachés dans le dos. Mathématiquement, même en comptant le temps de réaction de l'agresseur, l'opération de sortie de secours est impossible, car je devrai passer devant lui. C'est perdu d'avance, mais je joue quand même le tout pour le rien. Et c'est à ce moment-là que ça se corse, vraiment.

Le disque rythme la scène de façon absurde. J'ai déjà des haut-le-cœur en pensant le réécouter. L'agresseur me saisit par le collet, hystérique, et je lance un hurlement stratégique à l'adresse des voisins autant que je le peux avec ma langue emprisonnée. Ils sont là, je le sais, j'entends marcher ceux d'en haut et je crois percevoir le son d'un quiz venant de la télé d'en bas. Et mon éclat de voix prend une intonation étrange. Normalement, les cris sont spontanés, largués sans l'intervention de la conscience. Ma voix fuse comme un S.O.S. en code morse, une parole logique venue du plus loin de ma gorge. Hurler le plus fort possible dans l'espoir d'être entendue, m'arracher les chairs dans un délire de sens, me claquer une ou deux cordes vocales s'il le faut. Un long cri mort-né de sirène, la queue broyée par l'hélice d'un paquebot. Cette parole crissante et longue s'achève par un point d'interrogation. Un cortège de questions se bousculent dans ma tête, vibrant à même une seule fibre de voix. Pourquoi moi ? Comment a-t-il fait pour entrer ici ? Dois-je me comporter en victime ou tenter de me défendre ? Il est armé. Où est mon coloc ? Mon chat s'est-il douté de quelque chose ? L'agresseur s'est-il essuyé les pieds avant d'entrer ? A-t-il humé le parfum de mes vêtements ? Pourquoi ne part-il pas avec mon ordinateur et ma télé ? Ne peut-il pas arrêter le disque de Portishead qui donne un accent doux à cette violence ?

Il sent un peu la sueur. Il ne porte pas de parfum. J'ignore comment tout se déroulerait sans mon calme habituel. D'un coup, je comprends le pourquoi de bien des choses et j'envisage avec dégoût la possibilité d'un sexe-à-sexe forcé.

Rester passive ne m'intéresse pas. Un puissant coup de poing en pleine nuque et une perte d'équilibre de quelques secondes : voilà ce que je récolte en cherchant à m'évader. « Si tu restes tranquille, tout va bien aller », murmure-t-il à mon oreille en m'arrachant un lambeau de peau sur le bras droit avec son couteau trop bien affilé.

Me sauver. Essayer encore. Logiquement, il n'y a que cette issue de valable, on se fout du reste. Je suis très occupée à me demander comment faire pour m'épargner. La peur vient après, lorsqu'on est en mesure d'évaluer ce qu'on a évité. La peur que tout se reproduise, la conscience de l'avoir échappé belle à cause d'un détail. La peur de cette évidence à laquelle on ne veut pas se rendre : on est chanceuse d'être en vie, la peur de n'avoir plus jamais confiance dans le monde, la peur quand une amie d'enfance croisée quelque part arrive par-derrière et vous cache les yeux en vous demandant de deviner qui c'est. La peur de n'être plus capable de porter de colliers, la panique lorsque ceux qui vous aiment vous enserrent trop longuement. La peur des garde-robes. La peur de rentrer seule à pied. La peur des ruelles et des rangées d'automobiles. L'accélération des pulsations cardiaques au moins trois fois par jour parce qu'un mur a craqué.

Me sauver, oui. Je cours, comme dans les cauchemars, en avançant dans le vide. L'agresseur s'affole, m'administre deux directs dans le ventre (mes mains sont attachées dans mon dos ; je ne peux qu'encaisser, le souffle coupé) et me ramène en bon prince jusqu'à mon lit. La douleur m'en fait perdre des bouts. Une lame tiède sur ma gorge. Il est furieux, je lui demande ce qu'il veut à travers le bandage appliqué sur ma bouche, comme si je ne m'en doutais pas. Je m'agite et ne pense qu'à fuir. Je voudrais disparaître ou ne pas exister. La collaboration initiale, c'était pour lui laisser le temps de partir avec mon ordinateur et ma télé, pas pour me faire administrer une raclée ou subir un viol. Mais il est trop tard. Qu'est-ce qu'on est faible quand on est privé de ses sens !

Et s'il avait peur lui aussi ? Il est assis sur mes côtes et je tente de lui envoyer quelques coups de genoux par-derrière, sans grand succès. Je ne vais pas me rendre. Je voudrais lui faire mal, mais le voilà devenu désespérément agressif. Il s'installe au-dessus de mon oreiller et, dans le but de me faire taire, applique ses deux pouces en cuir autour de mon cou ; en poussant des cris ridicules, il tente de m'étrangler.

Être sous l'eau dix secondes de trop. Se faire caler au fond d'une piscine par un inconnu. Le sauveteur somnole. Mes cris restent noyés dans l'eau, ravalés par le chlore. Des gens circulent en pensant que nous jouons, que ce corps parasite s'attache à moi dans un délire d'amitié. Le sauveteur réprimande un enfant turbulent, cependant que je me noie, moi.

Être assise sur une chaise électrique, sentir mes yeux éjectés hors de leurs orbites avant de gagner la mort. Comprendre pourquoi le ruban sur mes paupières : éviter deux excavations au milieu d'un visage ravagé. Ne plus pouvoir respirer, dix secondes durant, dix secondes de trop, car ma bouche est bâillonnée, mes mâchoires soudées, et mon nez, bouché par un rhume qui court.

Être astronaute et échapper sa bombonne d'oxygène dans l'espace. Regagner la fusée, mais n'avoir plus rien à inhaler. Vouloir attraper des poignées d'air, sans succès. Être désemparée et impuissante. Espérer que je joue dans un mauvais film, croire que c'est peut-être un cauchemar, ne pas me résigner. Souhaiter que la piscine se vide en un temps record, croire qu'une panne d'électricité pourrait me sauver juste à temps de la chaise, regarder par le hublot de la fusée et y apercevoir la bombonne d'oxygène.

Au mieux, ce serait un rêve dans un rêve.

V

J'étais prise dans un engrenage dont je ne pouvais pas m'évader. Dès que je remuais, je m'embourbais encore plus, dépensant inutilement mes énergies à m'énerver ainsi. Chaque fois que je croyais m'approcher d'une sortie, je me retrouvais au milieu du labyrinthe et mes calculs s'avéraient inexacts. J'avais envie de foncer dans l'allée de cèdres et, quitte à m'égratigner, au moins sortir de cet étourdissement. L'arrivée de Maggie, qui avait plutôt choisi d'en rire, m'a calmée. Elle a parlé de renards traqués dans des chasses à courre, avec cet accent caoutchouteux des habitants du pays de la tête en bas. Nous avons emprunté un chemin, comme ça, en bavardant, sans essayer d'évaluer logiquement nos chances de nous en sortir… et sommes parvenues à l'extérieur en trois minutes. Hannah n'était pas là. Je suis restée près de la sortie que nous avions prise et Maggie a crié. Nous avons entendu plusieurs « *fuck* », « *stupid game* », étouffés hypocritement par le silence touffu des arbres, et Hannah est enfin réapparue. Partons, sortons.

VI

Une solution en tête. La bonne. La seule. Faire comme si je perdais connaissance. Me faire molle dans l'étreinte du Serpent. Lui laisser croire que je suis peut-être morte. Il cesse de m'étrangler, juste à temps. Mon jeu m'a sauvée, je dois la vie à mon théâtre nécessaire. La sixième pièce du disque de Portishead tire à sa fin. Dans le silence qui la sépare de la plage suivante, j'entends le voisin d'en bas zapper, une publicité de savon à lessive, le « bip » agressant qui annonce la fin du sprint d'un quiz, des gens qui applaudissent, les rires en canne d'une sitcom américaine. Le voisin d'en haut qui fait craquer les planchers en allant vers sa chambre, juste au-dessus de la mienne.

Le couteau enfoncé dans mon bras droit comme si mourir presque étranglée ne suffisait pas à m'engourdir. J'ignore si l'arme est propre, je la sens écharper mes chairs, s'enfoncer dans le tissu uniforme de ma peau. L'agresseur attend avant de retirer la lame. J'en sens le métal sur un de mes muscles. Réduite à la passivité, dépourvue de toute possibilité d'action sauf mimer la mort, je ne peux que sentir, imaginer les zones déchirées de ma peau. Des larmes tièdes de sang perlent sur mon bras, descendent sur mon avant-bras. Je les sens s'accumuler dans mes mains jointes. J'ai les mains pleines de sang et je ne veux pas tacher mon édredon. Je ne sais que faire de cet orage de sang accumulé dans l'entonnoir de mes poignets.

On cherche donc à me tuer!

Des pas dans l'escalier qui mène à mon appartement. L'agresseur se lève et j'entends claquer la porte de ma chambre. Dans mon aveuglement forcé mais lucide, j'imagine deux scénarios possibles. Il se pourrait que ce soit mon coloc. Le Serpent est alors caché derrière ma porte, étendu le long du mur, et il attend. J'essaie de crier, mais j'ai les lèvres cousues ensemble; et la deuxième possibilité m'enlève toute parole, fait battre mon cœur à en fendre l'air. Et s'ils étaient plus d'un? Si j'attrapais la volée de ma vie, si on me violait dix fois plutôt qu'une? La porte de ma chambre aurait alors été fermée par l'agresseur qui serait allé répondre à ses complices.

J'ai peur de mourir.

Pour l'instant, il faut survivre, nager sur l'écume de ce qu'il me reste de vie. Si dans cinq minutes exactement il ne s'est rien passé, c'est que le Serpent s'est sauvé. Sinon, il est derrière la porte et fait des plans de film d'horreur. Je suis dans un état de lucidité incroyable ; la peur et l'hystérie font place à une logique ferrée. Ou peut-être est-ce la peur qui, poussée à son extrême limite, devient clairvoyance. Je compte les secondes et des histoires d'hippopotames me reviennent en tête. Un hippopotame, deux hippopotames… Jusqu'à soixante, cinq fois. C'est long. La précision d'une horloge suisse ; je dois avoir entre trois et six secondes de marge d'erreur tout au plus. Je préfère les lettres aux chiffres, les phrases aux matrices, la poésie à l'algèbre, mais on n'a pas toujours le choix. C'est grand-maman qui m'a montré à compter les hippopotames. Au début, je confondais toujours avec rhinocéros et cette méprise la faisait rire. Mis à part la corne et la peau rugueuse, ce sont deux grosses bêtes grises qu'on ne voit que dans les zoos. Et encore là, pas partout. Je crois avoir déjà vu un hippopotame heureux dans une mare de vase au Parc Safari.

Est-ce à ça que l'on pense avant de traverser de l'autre côté des choses ?

Soixante hippopotames : je me lève d'un bond et me sauve. Je gagne la porte de ma chambre, demi-tour, j'atteins la poignée sans encaisser de coup. Je cours vers la porte de sortie. Elle est grande ouverte et je m'y heurte violemment le front. Je peux à peine émettre un grognement de douleur avec mon bricolage au visage. Étourdie, je monte à toute vitesse chez le voisin. J'ignore s'il y a des gens dans l'escalier. Et j'éprouve une joie étrange à l'idée de n'être pas morte, de traîner encore la vie à mes côtés.

Toc ! Toc ! Toc ! « C'est qui ? » chantonne James d'une voix joviale. Je cogne avec mes deux poignets en même temps, faiblement, et me laisse glisser jusque sur le paillasson. *Fuck*, j'ai sûrement souillé la porte de sang. J'entends James saluer quelqu'un au téléphone : « *O.K., I'll be there. You can count on me. See you.* » J'en mettrais ma main au feu : il aura la vision d'horreur de sa vie et dormira mal ce soir.

Je voudrais lui faire signe de retirer d'abord le ruban sur ma bouche, pour que je puisse enfin respirer à grandes gorgées d'air. Mais il commence par trancher le ruban autour de mes yeux, panique en voyant qu'ils sont rouges et exorbités, déjà cerclés de cernes bleus. Il tremble beaucoup et répète «*Oh my God*» sans arrêt. Ensuite, il détache mes mains pleines de sang et va chercher des pansements aseptisés pour s'occuper de la plaie. La coupure n'est pas très longue, mais plutôt profonde. Les saignements sont abondants, je voudrais hurler de douleur, mais j'ai toujours les lèvres collées ensemble. La pâleur de James et son inquiétude révèlent une veine turquoise au milieu de son front ; et moi, le visage tordu de soulagement et d'épouvante, je repose allongée par terre, dans l'entrée de son appartement, faisant craquer mes jointures.

J'ai la tête enflée, le crâne d'un trisomique. L'agression du miroir vaut bien celle du couteau. Mon visage offre toute la palette des pourpres, de l'écarlate à l'indigo. J'ai l'air d'un lilas en fleur. Les bourgeons alignés sur le pourtour de mes lèvres dessinent un chapelet coloré. J'ignorais que l'être humain pouvait saigner du blanc de l'œil. Tenter de s'observer l'œil exaspère, c'est là une entreprise ardue, voire impossible.

En coupant les rubans sur mes yeux, James m'a raccourci quelques cils. Je pense à ma tante Louise, ouvrant la porte de son fourneau et se relevant, noire de suie, les poils du visage en moins. Je pense aux dessins d'enfants. Les soleils avec des cils devenant des Madame Soleil. « Soleil » en allemand est féminin. Je jette un coup d'œil aux rubans adhésifs traînant par terre, tachés de sang et couverts de mèches de cheveux.

Je suis un monstre d'ecchymoses, le cauchemar d'un Picasso. Avec trois plasters La Belle et la Bête sur le bras droit. Devant cette image de moi, j'ose un cri d'épouvante.

Moi, les yeux en sang devant mon frère en pleurs. Nous sommes en route vers Venise-en-Québec, là où ma mère habite, là où j'ai vu le jour et où j'ai été conçue. Ma mère et mon frère sont venus me chercher. Je crois qu'ils auraient fait le voyage en hélicoptère s'ils avaient pu. J'étais couchée sur le plancher de la cuisine du voisin d'en haut avec une couverture par-dessus la tête lorsqu'ils sont enfin arrivés. Il était hors de question que je remette les pieds dans mon appartement. Je voulais que mon frère fasse ma valise, remonte avec le chat et qu'on ne remette plus jamais les pieds là. Je caresse les mèches courtes tombées sur ma nuque. Je dirai à mes amis de littérature que je ressemble désormais, avec mes yeux écarlates, à ce personnage aux « prunelles crevées » des poèmes d'Anne Hébert. Fière et digne malgré tout, à peine remise de cet état fantastique de lucidité extrême. J'éprouve déjà un grand plaisir à raconter mon agression dans les moindres détails, insistant sur ma mise en scène de la perte de connaissance. Je suis une héroïne. Lara Croft version Hochelaga-Maisonneuve.

Il doit bien être 23 h lorsque nous gagnons Venise-en-Québec. Je ne me souviens plus trop de ce que je leur ai dit durant le trajet. J'avais cette maudite chanson de Portishead imprimée au creux de l'oreille. Nous sommes passés devant un Coq Rapide en flammes et j'ai souri, pensant qu'il n'y aurait pas que moi de ravagée le lendemain matin. Lorsque j'ai compris que nous nous dirigions vers l'hôpital, j'ai demandé naïvement pourquoi. La psychiatre a parlé de tentative de meurtre par strangulation. Après examen, on a confirmé que je n'avais aucun axe hystérique, que j'étais presque en santé. Avoir compris que c'était vraiment de moi qu'il s'agissait, je l'aurais pris comme une insulte. Moi et mon calme au beau milieu d'une tempête abattue sur mon corps, moi bâillonnée, m'étant traînée en un temps record jusque chez le voisin malgré mes mains et mes yeux bandés, ayant ri alors qu'un meurtrier potentiel était soudainement sorti de ma garde-rode au moment où j'allais vers la cuisine. Moi ayant pensé à fermer le four lorsque j'avais envoyé mon frère sur les «lieux du crime». Bien sûr que je n'ai aucun axe hystérique, il me semble que cela saute aux yeux. En repassant devant le Coq Rapide, j'ai ri. Mon frère m'a demandé comment je faisais pour sourire après tout ce qui venait de m'arriver. Je lui ai dit qu'en plus d'avoir failli mourir, mon

appartement aurait pu flamber comme une brochette
si je n'avais pas pensé aux pizzas-pochettes en train
de calciner dans le four.

VII

Je descendais vers le sud à bord d'un ICE, un genre
de TGV allemand. Gâteau aux amandes et à la crème
en bouche, un journal allemand sur les genoux et du
Tori Amos plein les oreilles, je quittais la Basse-Saxe
pour la Bavière. Nous avons traversé la ville de Lou-
Andréas Salomé, Göttingen. L'Allemagne était verte,
verte et verte, tantôt saignée à gris par le Rhin, tantôt
pommelée de petites maisons rousses, surveillée de haut
par de vieux châteaux.

Deux Français me faisaient face, croyant sans doute
que je ne comprenais rien à ce qu'ils racontaient. Cela
me faisait tout de même du bien d'entendre ma
langue. La fille était très belle : teint foncé, visage lu-
naire, lèvres bombées et des cheveux drus presque
noirs jusqu'au milieu du dos. De longues gouttes de
pluie striaient ma fenêtre et j'entrevoyais des graffitis
en arrière-plan. La Française s'appelait Catherine. Une
brume bleue congestionnait les montagnes, celles-ci
escortées par les vignes, salades et champs de moutarde. Pendant une bonne partie du trajet, je lutterais
contre le sommeil comme si ma vie en dépendait.

Parce que depuis novembre dernier, m'endormir en public est la pire chose qui puisse m'arriver.

VIII

Durant les jours suivant l'agression, personne ne sait comment réagir. Mes amis de Venise-en-Québec me rendent visite. Emmanuelle m'offre une boîte de jujubes et fait comme si je me remettais d'une pneumonie. Je suis encore au lit ; elle s'assoit près de moi, remonte la couverture sous mon menton. Au moment où elle effleure mon cou, je ressens un malaise jamais éprouvé auparavant, une sensation de tuyau d'échappement écrasé par les pneus d'une automobile.

— As-tu besoin de sirop ? me demande-t-elle.

— J'ai pas le rhume, Manue.

Elle préférerait apparemment une maladie, même grave, à mon histoire.

On dirait que personne ne comprend que je dois la vie à une question de timing, de bons réflexes, et à l'arrivée de mon coloc, d'ailleurs reparti dans son Bas-du-Fleuve natal depuis l'agression. Mimer la perte de connaissance, reprendre mon souffle enfin après l'éclatement du blanc de mes yeux égalent je suis encore vivante. L'arrivée du coloc égale pas de viol. Je suis une « pas tuable », qu'on se le dise.

Maxime, un autre ami d'enfance, vient fumer un joint en ma compagnie avant d'aller travailler. Je constate son embarras, mais nous éclatons tous les deux de rire lorsqu'il me lance : « J'espère que je n'ai pas les yeux aussi rouges que toi. » Puis ma mère m'achète le kit de la victime : foulard léopard pour masquer les gorges défoncées, verres fumés de starlette, beaucoup de chocolats Laura Secord guimauve-caramel, cigarillos à la vanille, bouteille de porto, et une boîte noire semblable à un paget qui, lorsqu'on tire sur une corde, émet un hurlement strident – appelons-la éminence-qui-gueule-à-la-place-des-filles-bâillonnées –, membre moderne de cette famille de bidules pour victimes : le sifflet de la violée, le faux paget des bâillonnées, le poivre de Cayenne des apeurées (la démarche rapide, agrippant une petite bombonne qui contient une impression de défense potentielle). Le viol d'une muette serait-il le crime parfait ?

Le prochain objet qui deviendra mon prolongement est un fusil. Parce que discuter avec les fous n'arrange rien. Parce que la légitime défense est une utopie. Je pointerai le canon du fusil sur la tempe du violeur et lui dirai : « Tu vas payer pour ce que t'avais l'intention de faire. Premièrement, vide ton compte de banque. Nous passerons chez un fleuriste pour que tu m'achètes des tournesols teints, ceux qui ont la tige violette et les pétales couleur ecchymose, pour aller avec mon visage meurtri. Enfin, je t'enfoncerai vingt aiguilles dans chaque testicule. »

On évite de me laisser seule. Ma mère et mon frère se sont mis en congé. J'ai envie de lire un Astérix : ils font pareil en me jetant des regards par-dessus leur livre. Je lance, comme ça, que j'ai un désir de homards. Mon frère court aussitôt au marché en acheter trois. Comme si c'était mon anniversaire depuis trois jours, mais que tout le monde était triste. On évite de faire allusion à l'agression, comme si je n'avais pas envie d'en parler et que j'allais éclater en pleurs. Je m'endors dans les bras de ma mère avec le pouce dans la bouche.

— Centre d'ostéopathie Venise-en-Québec bonjour !

— Salut. Est-ce possible de prendre rendez-vous avec Olivier Ernaux pour... pour un peu une urgence.

— Une place vient de se libérer. Si tu peux être ici à onze heures...

— J'y serai.

Je marche dans les rues vides du centre-ville gris, les yeux tout rouges. Je croise mon professeur de sixième année. S'il m'a reconnue, il doit croire que je carbure à quelque chose de très fort ou que mon chum me bat. Mais j'évite de regarder les gens. Je suis une enfant née prématurément, jetée à la vie et à l'air libre de façon précipitée. J'ai des nœuds électriques de peur dans le cou.

Dans la salle d'attente, on m'observe hypocritement. Un enfant demande à sa mère la raison de la couleur de mes yeux. L'ostéopathe m'accueille, intrigué, et je lui balance l'histoire d'un coup. Mes yeux rouges s'attardent dans les siens ; je sais qu'il a une fille de mon âge et que mon récit fera son effet. À quelques reprises, il fuit l'insistance de mon regard :

mon conte ne l'amuse guère. Une fois de plus, l'auditeur accorde une grande attention à la première partie de l'histoire – la curiosité l'emporte – sans me laisser finir à mon rythme, pressé d'en sortir, pressentant l'absence de fin heureuse. J'enchaîne avec les douleurs physiques, ce qui devrait le sortir de sa torpeur. « Premièrement, j'ai une sensation de trachée défoncée, j'ai mal au bras, mais tu ne peux pas y toucher j'imagine, puisqu'il y a coupure. Mes côtes flottantes droites ont dérivé, aplaties par un genou. J'ai mal au visage en entier, au cou, et puis dans tout le dos. »

Il enfile des gants de plastique. « Sors la langue », me dit-il. Ma langue attrapée entre ses deux doigts, tirée hors de ma bouche. Je ris et lui demande s'il se fout de ma gueule. C'est pour ma trachée renfoncée. J'ai une vision d'horreur de cet autre homme ganté – mon agresseur – non pas pour les microbes, mais pour garder l'anonymat. J'éprouve une soudaine fatigue, un écœurement de me faire jouer dans le visage, que j'ai mauve et tout enflé.

Un café dans un restaurant laid et vide. Puis je me dépêche de rentrer, car ma mère et Alexandre vont revenir bientôt et je ne veux pas qu'ils s'inquiètent de mon absence.

Après une semaine passée dans le giron familial, avec des amis d'enfance, je rentre à Montréal pour au moins finir la session. Histoire de me convaincre de ma propre force, j'annonce à tout le monde : « C'est pas un maniaque qui va me faire rater ma dernière année de bac. » Je voudrais qu'on admire mon courage.

Surtout pas qu'on me dise, en me présentant hypo-critement une tasse de café et de la crème : « Pauvre petite, s'il t'a violée, sens-toi bien à l'aise de m'en parler. » Surtout pas recevoir des appels d'anciens amis que je vois plus depuis deux ans et qui, sans même prendre le temps d'être subtils ou délicats, deman-dent :

— Salut, c'est Anne-Marie, ça va ?

— Oui, toi ? *Long time no see...*

— Aye, c'est-tu vrai que tu t'es fait attaquer par un fou qui a voulu t'étrangler ?

— Oui, qui te l'a dit ?

— C'est l'appart dans lequel t'avais fait le gros party d'Halloween ?

— Ouan.

— Paraît que c'est ton coloc qui t'a sauvée ?

— Oui et non. Mais c'est une longue histoire et là, je n'ai pas le temps. Bye, je suis pressée.

Les charognards sont attirés par mon drame. Chaque fois que je le raconte, j'affine le récit, comme un conteur, et j'ai l'impression d'en faire cadeau à quelqu'un. Je veux donner mon histoire à ceux que je choisis. L'entendre narrée par un autre – ma mère, par exemple – me fait horreur. Le ton n'est jamais juste. Tout le monde trouve que je fais pitié ; moi je pense qu'on devrait plutôt m'admirer. C'est moi l'héroïne. Je n'ai été victime que par défaut.

Mon frère a décidé qu'il s'installerait chez moi pour une période indéterminée. Pour me protéger, mais aussi pour se rassurer. Alexandre est terrorisé par l'idée qu'il m'arrive encore quelque chose, par la peur de ma mort. Mes amis Emmanuelle et Maxime, ma mère, mon frère et moi, roulons vers Montréal, l'air funeste. Ma mère m'a acheté de nouveaux meubles en bois doré. Elle m'a dit que nous changerions ma chambre, qu'Alex prendrait soin de moi et que si je ne voulais pas retourner à l'université tout de suite, il n'y avait aucun problème.

L'appartement est noir de suie, souillé de feuilles mortes et de boue – les inspecteurs n'ont pas retiré leurs chaussures –, et une odeur de vieille cendre empeste mes lieux. Mon coloc n'y a pas remis les pieds depuis l'événement. D'immenses fraises probablement transgéniques pourrissent dans le frigidaire, et dans la poubelle dorment trois paquets vides d'Export A.

IX

Je venais d'arriver à l'auberge de jeunesse de Munich, tout près de la place Rotkreutz, et j'avais de terribles douleurs lombaires. Le voyage de douze heures et les changements de train avec mon gros sac sur le dos m'avaient exténuée. Dans la cuisine de l'auberge, j'ai failli éclater en sanglots devant mes pâtes brûlées. Puis il y a eu cet éclat de rire franc, comme je n'en avais jamais entendu et dont je n'aurais su dire s'il venait d'un homme ou d'une femme. Je me suis tournée vers l'origine de la voix androgyne : un grand mince m'offrait des nouilles. Rarement vu un gars avec d'aussi beaux traits. Un Tchèque, ai-je appris par la suite. En soirée, nous sommes allés dans un *Biergarten* boire une bière citronnée. Nous avons été surpris par un orage et, blottis sous un parapluie, l'homme aux traits fins d'oiseau et moi nous sommes embrassés. Et j'ai eu envie d'aller faire l'amour dans toutes les cathédrales de Prague.

Il n'a pas voulu m'accompagner à Dachau. « J'ai visité le camp de Terezin en République tchèque et ça me suffit. » J'ai mordu dans ses cheveux, qu'il avait rouges et désordonnés jusqu'en bas des oreilles, et recouvert, avec mes lèvres, son sourire impossible et ses yeux gris comme chat. Il irait traîner dans les jardins anglais en lisant *L'insoutenable légèreté de l'être* en tchèque. Son prénom sonnait comme une inspiration très profonde. Ihmre, qu'il s'appelait.

J'ai quitté l'auberge tôt de façon à passer au bureau de poste avant d'attraper le métro. Il pleuvassait et une humidité grasse s'attachait à mes os. En descendant vers la Rotkreutzplatz, j'ai marché sur un cintre tordu, près du trottoir, et quelle chute ! Étendue de tout mon long, la tête presque plongée dans une flaque d'eau boueuse et la paume droite à vif, je riais en sacrant, les yeux pleins d'eau. Je ne savais même pas dire « saigner » en allemand. « *Entschuldigung, meine Hände sind verletzt.* » « Monsieur, j'ai les mains blessées », ai-je dit au pompiste d'une station d'essence. Il a sorti une trousse de premiers soins, retiré un à un les cailloux de la plaie et appliqué un pansement sur ma blessure qui saignait abondamment. J'avais un goût d'éther dans la bouche.

J'ai repris mon chemin en dévorant une pomme, dégoûtée par de longues limaces qui rampaient sur les pavés mouillés. Les mollusques terrestres se vautraient dans l'humidité, parfois éclatés en une purée verdâtre, offrant leurs ventres blêmes au pas pressé des passants.

X

Je ne prends plus de cafés avec le voisin d'en bas. La culpabilité et l'impression d'être un antihéros lui rongent les sangs, paraît-il. Il m'a entendue crier. Il faut dire que je n'ai pas crié beaucoup : une seule fois en fait, au moment où je tentais en vain de m'échapper. Un hurlement stratégique, une bouteille à la mer, un appel désespérément adressé à Quelqu'un, si Quelqu'un était dans le coin.

Je me trouve maintenant dans l'escalier et sa copine est devant moi. Elle me demande comment je vais, en essayant peut-être de percevoir l'écarlate de mes yeux au-delà des verres fumés (je deviens paranoïaque, par pure logique, et j'apprends à soupçonner les gens). Je ne sais trop quoi répondre. Si je vais bien, c'est pour une raison : la découverte de ma force. Cependant, la peur mêlée au silence ronge ma personne. La solitude m'est insupportable. Je deviens un monstre d'angoisse, les traits tirés, le visage ravagé par l'inquiétude. À la question «ça va?», je me contente d'un «pas pire» bien senti, et pour une fois, c'est vrai; mon cas n'a pas empiré. Je lui demande pourquoi son bien-aimé se sauve de moi. C'est qu'il se sent coupable, l'événement l'a ébranlé, il s'en veut, est peu fier d'être un homme, m'explique-t-elle, attendrie. Peut-être s'attend-elle à ce que je réponde : «Non, non, c'est pas grave, dis-lui que je ne lui en veux pas et que je m'en remets.» J'en suis incapable. Les choses se seraient passées différemment s'il était intervenu. L'imaginer zappant dans son fauteuil, à l'heure où rien de bon ne joue à la télé, pendant que je plongeais dans la presque mort à trois mètres au-dessus de sa tête m'enrage. De toute cette histoire, je suis l'héroïne et la victime.

On croit que je vais de mal en moins pire parce que le pourpre de mes ecchymoses tourne au rose. Mais qui assiste aux représentations morbides et répétitives qui se déroulent à une vitesse foudroyante dans ma tête? Plusieurs fois par jour, le film de mon agression joue à toutes les chaînes de ma télé intérieure. Et quand le film commence, je dois le regarder scène par scène en attendant la fin, puis le repos. Le seul truc que je connais pour y remédier est d'ouvrir les yeux et de dire «stop» à voix haute. Et d'allumer la lumière, même pour dormir. Surtout pour dormir.

Qui devine l'empire de la peur sur ma solitude?

XI

À bord du Strassenbahn – un petit train de ville qui mène au site du camp de Dachau –, je m'exhortais à la compassion, comme si je craignais d'être insensible à l'œuvre la plus accomplie de la destructivité humaine. J'imaginais les prisonniers, entassés dans des wagons à bestiaux, et m'ordonnais d'être touchée par la scène en leur mémoire. Je voulais réagir avec autant de compassion que mon coloc. L'agression l'a tant troublé qu'il m'a dit qu'il ne remettrait plus les pieds à l'appartement, «pis peut-être plus dans la grande ville non plus». Drôle de logique. Proportionnellement parlant, il y a autant d'horreurs dans les villages reclus – terreaux fertiles en vices cachés – que dans les grandes villes, mais il partage ma peur, ça m'en fait un peu moins à porter, on dirait, et puis j'appelle ça faire preuve d'empathie.

On aurait dit une ferme pour êtres humains. Des parents avaient emmené leur mousse de deux ans qui hurlait à s'en extraire les ganglions. Sa voix rauque de bébé en furie surplombait le chuchotement général. J'étais étonnée de voir des familles. Si j'avais un enfant, je lui offrirais le château Neuschwanstein, pas Dachau. Une Américaine s'appliquait à filmer de façon insistante l'intérieur des toilettes d'une baraque. En mémoire des gens qui avaient souffert, son délicat conjoint a émis des cris et des bruissements qui se voulaient une reconstitution historique des événements, un remake à l'américaine sans les effets spéciaux : le mauvais goût exposant dix. Pathologique.

Devant le chemin qui menait au monument érigé en mémoire de l'atrocité, une sculpture de cuivre a attiré mon regard. On y voyait, emmêlés en une masse uniforme, des prisonniers maigres comme des fils et des barbelés épineux. J'appréciais un tel esthétisme né de l'horreur. Une phrase de Santayana chapeautait l'esprit des lieux : « Ceux qui ne savent pas se souvenir sont condamnés à le revivre. » Des coquelicots jonchaient le sol là où les emprisonnés avaient saigné à mort. Ma blessure encore toute fraîche à la paume élançait par à-coups, douleur lancinante comparable à celle éveillée par de l'aluminium qui jure avec une dent plombée.

Une petite communauté de carmélites était installée dans le camp. L'architecture du monastère avait pour base une croix qui continuait et terminait l'allée principale menant aux bâtiments de l'intendance. Les cellules des sœurs formaient les bras de cette croix et le cloître en constituait la tête. La chapelle était le corps de la croix, l'autel et le tabernacle se dressaient en son cœur. J'ai imaginé la tête de l'architecte, Joseph Wiedermann, lorsqu'on lui a proposé de dessiner les plans du Carmel de Dachau. Sûrement la même grimace que celle des tatoueurs de l'après-guerre à qui l'on a demandé de transformer des croix nazies en orchidées.

Sur la gauche du camp, on retrouvait les fours crématoires et les chambres à gaz. En mémoire des prisonniers brûlés, des gens avaient déposé des chandelles sur les fours mêmes. La chaleur qui s'en dégageait était franchement désagréable. D'autant plus qu'à l'extérieur, il faisait très humide. En entrant, la chaleur apaisait, apportait un sentiment de réconfort… jusqu'à ce qu'on lise «*Krematorium*». Des grillages aux motifs géométriques isolaient cette section du camp. Sur la porte, on pouvait lire l'inscription cynique «*Arbeit macht Frei*» – «Le travail, c'est la liberté» –, un slogan qui rappelait le fameux «La guerre c'est la paix, La liberté c'est l'esclavage, L'ignorance c'est la force» de George Orwell dans *1984*. Tous ces lieux m'ont laissé une impression de cicatrisation mal coagulée, d'ironie brisée. Curieusement, la surface de ma plaie tournait au vert.

Il devait bien être 14 h. Je mourais de faim, mais j'avais trop mal au cœur pour manger. Je découvrais en Allemagne une terre contaminée qui survivait à ses clochers évanouis, à ses camps de concentration qui faisaient pourrir les villes, à ses musées d'histoire qui commençaient en 1945 et à un mur effondré, mal cicatrisé. J'apprenais qu'elle n'était pas seulement l'agresseur qu'on avait voulu qu'elle incarne. Elle avait aussi un côté meurtri, des plaies béantes nommées Dachau, Ravensbrück, Sachsenhausen et Buchenwald. Affaiblie par sa puissance, elle se remettait de ses blessures d'après-guerre, encore plus forte d'avoir contemplé sa faiblesse dans le rouge des yeux.

Il n'y avait presque personne à l'auberge. Tant mieux, j'avais envie de prendre une douche brûlante pendant trois quarts d'heure. Le spectre de ce que je venais de voir me hanterait longtemps, alourdissait déjà ma respiration.

Le Tchèque avait laissé un message sur mon oreiller. Il serait dans les jardins anglais jusqu'à 17 h, près de la tour chinoise. Le message était en anglais et en allemand. J'ignorais le tchèque, lui le français, je parlais bien anglais et me débrouillais en allemand, lui l'inverse. Mais nous arrivions à bien nous comprendre dans ce créole que nous inventions.

XII

Je pense à la rage de mon frère. Depuis l'agression, Alexandre dort mal. Pour cette raison, il a posé trois serrures sur les portes avant et arrière de mon appartement. Alex levé tôt tous les matins du monde qui suivent l'agression pour me maquiller, m'enduire de fond de teint. « Non, c'est pas la bonne couleur ; on dirait qu'il te blêmit. » Alex attendant l'ouverture des pharmacies pour aller discuter de tout ça avec les Madame Maquillage. « Celui-là devrait faire l'affaire. C'est Revlon ; l'autre, Maybelline, il était plus gras. Je t'ai aussi acheté de l'ombre à paupières. » Il est attendrissant de voir un pinceau délicat dans sa grosse main de gars. Plus qu'une arme blanche. Tout de même. Sa blonde m'a prêté un foulard mousseux couleur safran.

Je suis seule à l'appartement lorsque l'inspecteur m'apprend au téléphone que deux autres filles ont été attaquées et violées par le même agresseur que moi. Étrange, l'effet des larmes tombées dans l'eau de vaisselle grise. Mon frère arrive vers 18 h avec des hot-dogs moutarde-chou de chez Valentine. En apprenant la nouvelle, il court vomir dans les toilettes, crache dans le bol et dit qu'il aurait préféré que toute cette violence soit dirigée contre lui. Il parle aussi de sa blonde. Je crois qu'Isabelle s'est déjà fait violer, mais Alex ne fait qu'effleurer le sujet. Les cheveux trempés de sueur et le tour de la bouche rose, il s'assoit par terre, le dos appuyé contre le bain. Je lui passe une débarbouillette d'eau glacée dans les cheveux et sur le visage. Nous allons au lit peu après. Je lui donne un petit comprimé blanc à se mettre sous la langue, pour dormir, pour stopper le scénario qui se déroule à répétition et à une vitesse foudroyante dans ma tête et dans la sienne apparemment. Pour voir des éléphants roses en unicycle se balader sur les cordes à linge d'une ruelle de Montréal. «Prends ce cachet avant de dormir, c'est comme un verre de vin blanc», avait dit la psychiatre.

Le lendemain matin, les hot-dogs traînent toujours sur la table. Alex vient me réveiller, une assiette de toasts au caramel dans une main et du fond de teint dans l'autre. David Bowie en fond sonore.

XIII

Ihmre fumait une Philippe Morris, ses cheveux emmêlés au-dessus de son crâne dans les sillons creux de l'arbre contre lequel il était adossé. Je l'épiais : il a arraché des brins d'herbe, s'est gratté le ventre, a farfouillé dans son sac moutarde. Pour la première fois, je remarquais la délicatesse de son nez, dont les ailes diaphanes s'élevaient et s'abaissaient comme les branchies d'un poisson. Il avait souligné ses yeux d'un trait de crayon. J'ai pensé à mon frère et souri ; j'appréciais les garçons qui maîtrisaient les rudiments du maquillage. Sans être efféminé, Ihmre avait quelque chose de féminin. Il était la transition heureuse entre l'homme et la femme, l'être de passage qui m'ouvrait à l'autre, me réapprenait à aimer l'étranger. Il a bu une gorgée de sa boisson aux pommes et entamé une tablette de chocolat à la pâte d'amandes pendant que j'approchais de lui sans qu'il ne me voie.

— *Meine Liebste, wie geht's* ? a-t-il dit.

— *Ganz gut! Well… I found the trip a little traumatising.*

— *Ja. Ich verstehe. Like I told you. But you have to see it to understand.*

Ses yeux de velours donnaient envie de faire la révolution avec lui, d'aller hurler en tchèque au plus haut du château de Prague, de devenir scribe pour l'histoire juive, de nager dans la Vltava de long en large, l'avalant à grandes gorgées, jusqu'à épuisement, d'aller flâner sur la place Venceslas. Il s'était fait voler *L'insoutenable légèreté de l'être* à l'auberge de jeunesse et sa mine désolée n'était pas dépourvue de charme. J'ai essayé de lui raconter de mémoire la fin du livre. Il m'a pris la main et, m'embrassant les paumes, s'est inquiété de ma blessure. Étendue dans le gazon, la tête sur ses genoux, je me suis endormie.

XIV

Je m'éveille, épuisée d'avoir autant rêvé. Depuis ma presque mort, je revisite les peurs de l'enfance : l'horreur des garde-robes, la peur de la solitude et du noir, l'angoisse des cauchemardés. Il y a des avantages et des désavantages à ma condition. Au moins tout le monde comprend ma peur : mon frère a dévissé les portes de ma garde-robe et s'est installé chez moi. Au réveil d'un cauchemar, je n'ai pas à aller me réfugier dans la chambre de ma mère, au risque de me faire attraper les chevilles par quelque indésirable caché sous mon lit ; mon frère est là qui dort à côté. Je me plaque contre son dos, il expire profondément et me parle en rêveur. Parler en rêveur, c'est dire à une fraîche cauchemardée : « Non, je vais tondre le gazon demain. »

L'autre jour à la télé, Claire Lamarche rencontrait un groupe de survivants. Ils avaient survécu à des maladies, des guerres, des agressions, des suicides; bref, il y avait là une belle brochette d'éclopés. Certains presque morts reviennent à la vie avec une telle prétention! Comme s'il existait une confrérie, un signe caché révélant les membres à leurs pairs. Comme si tout à coup, l'âme vieillissait et la pupille noircissait. Évidemment, ils avaient vu défiler le fil de leur vie suivi du tunnel lumineux et il n'était surtout pas question d'hippopotames et de rhinocéros ici, oh non! on glosait du sens de la vie et de son contraire, rien de moins. Je souhaite que mon trépas échappe à ce cliché du tunnel, autrement je mourrai exaspérée. De ce flirt forcé avec la mort, je retiens que la peur, lorsqu'elle outrepasse son paroxysme, devient lucidité extrême. Et que l'œil peut saigner.

Tout ce que la vie qui fuit devant soi génère se résume en deux mots: tristesse et paranoïa. Je parle ici d'une disparition soudaine de la confiance dans le monde, d'une tristesse sans fond comme un rat mort du sida dans un carré de velours ou un fond de chaudron cramé en bulles. Je parle d'une paranoïa logique qui mérite respect, qui a ses assises dans la réalité et non pas dans le nœud vicié d'une névrose sévère.

Mais, en parallèle, une nouvelle force s'installe, laquelle peut amener de la joie. Quelle est donc la nature de cette assurance et de cette joie étrange qui se répandent en soi au moment même où la confiance dans le monde s'évanouit, remplacée par une tristesse de lacs artificiels et de feux de banlieue? Mieux vaut être triste et fort que ravagé et faible.

Au-delà de mes nuits mouvementées, l'abri du jour m'est désormais refusé. Si les monstres des garde-robes rentrent au placard une fois les premiers rayons de l'aube lancés dans le ciel, ceux de la réalité empoisonnent l'existence 24 heures sur 24. Ainsi, l'homme assis dans le métro, un bouquet de fleurs sous le bras, s'en va peut-être égorger sa femme, sans que ni lui ni elle ni personne ne s'en doute. Qui sait, le grand maigre qui cuisine les Big Mac dans l'arrière-cuisine du McDonald est peut-être un meurtrier. Mon agresseur vendait des fruits au marché Jean-Talon, affichait ce que l'avocate a appelé un « *low profile* » : 23 ans, une femme et un appartement dans le Nord de Montréal. Les policiers l'ont arrêté dernièrement. Pas parce qu'ils ont bien fait leur job, usé de perspicacité ou je ne sais trop quoi, non, non. L'agresseur avait égaré son portefeuille avec toutes ses cartes d'identité chez la troisième fille. Écrasé devant la télé dans son salon, il n'a jamais pensé une seconde que c'était des policiers qui sonnaient à la porte. « *Que passa mi amor ?* » a peut-être demandé sa femme qui cuisinait dans une autre pièce, d'une voix chantante.

Je ne peux donc plus compter sur le refuge du jour ou de mon appartement. Alex est parti travailler et j'essaie de lire. Il vente dehors ; au moindre craquement de mur, je sors en courant, n'osant plus remettre les pieds chez moi. Je vais cogner à la porte de James qui vient avec moi vérifier l'état des lieux et me rassurer. Je suis dans l'appart depuis la veille et mon frère était là avec moi ce matin. Je sais très bien qu'il n'y a personne d'autre que moi ici mais. J'ai peur. Les pas doux de mon chat sur le plancher font accélérer les battements de mon cœur. Je l'entends et me rue vers l'origine des bruits discrets, mon faux paget à la main, prête à le laisser rugir. Effrayé par cet empressement, le matou recule, la queue entre les jambes.

J'ai peur. Une peur illogique, qui échappe à toute explication. Lorsque je suis seule, elle revient me hanter comme un fantôme sournois, un feu sauvage qui s'acharne. Dès qu'un ami s'amène, elle s'évanouit, reste tranquille, et je suis rassurée. Je fais porter tout le poids de ma peur à ceux qui me tiennent compagnie. Il faut être fait fort pour m'accompagner par les temps qui courent. J'ai des feux d'artifice rouges aux commissures de l'iris, sur fond de plus en plus blanc. Mes blessures au visage, mes ecchymoses à la gorge, mes cils en moins et ma coupure au bras tendent à disparaître. On dit encore que je vais mieux. Tant que je ne suis pas seule, je suis d'accord. Comme deux meilleurs amis suicidaires qui font la fête chaque fois qu'ils se voient, heureux d'être ensemble, oubliant de parler de la mort. Puis, chacun rentre chez soi et l'angoisse revient au galop. Quand je suis seule, c'est la peur limpide, infatigable, qui s'étend avec moi sur mon édredon, me regarde dans le rouge des yeux, installée dans le fond du micro-ondes, assise sur mes pots de Nutella, couchée en boule dans mon linge sale. Je me joue hypocritement des tours pour ne plus entendre ces petits craquements qui m'agressent. Fin novembre, j'allume le ventilateur et apprécie son ronron rassurant qui atténue les sons de tuyaux du premier étage, de gens qui parlent dehors et de petits pas de chat. Mais quand je le laisse tourner trop longtemps, il me donne mal à la tête et j'angoisse à l'idée de devoir le fermer un jour. D'être confrontée au soi-disant silence. Alors, je déclenche la sécheuse et j'arrive même à rire de moi.

Je suis allée rendre visite à mon ami Philippe, dans le Village, tout près du métro Papineau.

— Tes yeux! Est-ce que ça va s'en aller?

— C'est déjà moins pire que c'était. Je me mets une débarbouillette d'eau chaude sur les paupières, soir et matin, durant vingt minutes. Je suis écœurée que tout le monde me regarde. Quand je porte mes lunettes de soleil, c'est pire. J'ai l'air de me prendre au sérieux.

— Je ne veux pas t'insulter mais c'est presque beau. Ça te donne un petit quelque chose de vampirique. On s'attendrait à voir tes canines s'allonger quand tu souris.

— Savais-tu qu'on pouvait saigner des yeux, toi?

— Non. Je ne savais pas non plus et je ne comprends toujours pas que quelqu'un ait pu désirer ta mort. Veux-tu que je te masse les orteils? Ça fait super du bien, tu vas voir.

— J'ai perdu confiance en mes sens, Philippe. Un fou m'a repérée pour... pour je sais plus trop quoi en fait. Me violer, m'étrangler, me tabasser, me piquer mon fric? Je suis tellement fatiguée de toujours y penser. Il n'y a plus de place pour autre chose dans ma tête, on dirait. Moi, je pensais que j'avais de l'intuition pour ces choses-là...

— Envoye, ôte tes bas.

Je veux que jamais plus un bruit ou un mouvement ne m'échappe. Je mets tous mes sens au défi en leur faisant subir un entraînement exigeant. Je me concentre et entends les clignements de cils des chats, les battements d'ailes des mouches et les cheveux tomber sur le sol. Je m'attarde à l'invisible : les détails des cristaux de poussière vagabondant dans le salon les après-midi ensoleillés, la couleur de l'eau et de l'humidité ambiante. Rien n'est plus doux au toucher que le foulard safran d'Isabelle, la chair des crabes et la poudre à pâte. J'entraîne mes sens pour entendre tous les débiles qui se cachent de moi. Je sens l'odeur subtile de la sueur des ombres, celle des cyclamens, et je dresse une liste des aliments voluptueux :
– les bonbons à la violette
– la soupe thaïlandaise (cari, noix de coco, vermicelles, citronnelle et oignons avec un peu de laitue au fond)
– le jus d'ananas frais pressé
– le chocolat aux bleuets
– les figues de Munich (marinées pendant une nuit dans du brandy, enrobées de bacon et cuites au four)
– les croquettes de fromage hongroises
– la boisson au chocolat blanc belge
– le lait d'amandes
– les avocats
– les dattes farcies de Stilton, à la portugaise
– la salade de cœurs d'artichauts.

J'entre dans un café dont la porte est surmontée du drapeau aux sept couleurs de l'arc-en-ciel. Comme les villes, les cafés peuvent être sexués. Le serveur me donne du Miss dans une intonation aux jambes croisées. J'aime bien être la seule présence féminine de l'endroit. Je commande un gâteau rocailleux bananes, chocolat noir, chocolat blanc sur lit de crème anglaise. J'ai une nouvelle bague au doigt.

En sortant du métro, j'ai été attirée par sa couleur : un ambre franc, une pierre indiscrète montée sur un jonc large. La bague était trop étroite pour moi, ce qui n'arrive pourtant jamais étant donné la finesse de mes doigts. Le vendeur d'origine africaine a sorti un long tube de métal et y a glissé le bijou en le martelant comme pour le forcer à se distendre sous l'emprise du marteau. Ça m'a donné un léger haut-le-cœur. J'ai réessayé la bague. Elle passait l'étape de la deuxième jointure, mais résistait aux trois quarts du doigt. La bague est restée coincée et j'ai senti mon annulaire enfler. Affolée, j'ai souri en forçant pour l'arracher à moi. Ou m'arracher à elle, je ne sais plus trop. Rien à faire, j'étais aux prises avec ce corps parasite qui s'attachait à ma personne au-delà de ma volonté. J'ai rougi de colère et les larmes me sont venues aux yeux. Désemparée, j'ai offert une main hésitante au vendeur. En tirant très fort, il est parvenu à extraire le bijou, a repris son marteau et l'a travaillé durant quinze minutes. Je n'étais plus sûre du tout de vouloir l'acheter. Je me suis assise sur les marches sales de l'escalier du métro en me rongeant les ongles comme une forcenée. Le vendeur m'a donné une petite tape sur les doigts en voyant le résultat. Ma main tremblait, la bague faisait tout à fait. Il s'est mis à rire, un rire élastique en crescendo. Insultée, j'ai dit : « Ah, parce que vous trouvez ça drôle!» Il m'a prise par la main et m'a menée à l'intérieur du petit magasin devant une série de masques. «Lequel tu veux? Tu vois celui-là, celui qui fait la grimace, il a exactement la même tête que toi en ce moment.» Je l'ai choisi: un masque noir, un visage long et tourmenté, délicatement buriné.

XV

Tout à l'heure, j'ai senti combien l'agression m'avait fragilisée. Je suis allée acheter des fudges pour Ihmre et moi. De la crème glacée à la vanille enrobée de chocolat blanc ou de sucre à l'abricot: assurément un facteur qui favorise l'immigration en Allemagne. J'étais seule dans le dépanneur. L'homme à la caisse était grec, il m'a dit qu'il n'était pas marié et qu'il voyait rarement des filles comme moi. Je l'ai toisé un court instant en fronçant les sourcils. Il a pris ma main pour me rendre la monnaie. Ses ongles étaient noirs et son visage parsemé de taches brunâtres. Lorsque j'ai poussé la porte pour sortir, il était là à me regarder, et la porte résistait. Le salaud l'avait verrouillée. J'ai senti mes jambes ramollir, mon cœur pourfendre ma cage thoracique, ma trachée se contracter, mes yeux devenir rouges de sang. J'ai immédiatement repéré un objet tranchant qui me permettrait de le blesser sérieusement. Une bouteille de vin. Je fracasserais le goulot sur le sol, lui défoncerais le nez en hurlant à son oreille : « Débarre la porte sinon je fais la même chose avec tes deux yeux. » J'avais des fantasmes de violence : j'étais décidée à le faire payer, au nom de toutes les presque étranglées de la terre. Tout s'est déroulé dans ma tête à l'intérieur d'une seule seconde. « Mon tabarnak, tu vas ouvrir », ai-je dit. « *Ziehen musst Du* », m'a-t-il répondu, c'est-à-dire « Tire au lieu de pousser ». Là, j'avoue, je bouillais. Juste avant de sortir, je me suis raclé la gorge et tout le système respiratoire, puis j'ai craché sur le paillasson de l'entrée. Au nom de tous ceux et celles qui sont à vif à cause de l'emprise d'un déviant.

J'ai demandé à Ihmre pourquoi il était venu en Allemagne. En dégustant son fudge, il m'a parlé des traumatismes de sa République tchèque maintes fois victime d'invasions étrangères. Territoire passif et innocent, violé par les communistes, les nazis, les Américains, les touristes, sa république se remet comme elle le peut de ses blessures. De l'Allemagne, il voulait contempler la force, le perfectionnisme, la détermination, l'âme d'une république puissante dans le bien comme dans le mal.

Une goutte de fudge orangé roulait sur mon genou. En repensant aux camps de concentration, j'ai demandé à Ihmre d'où venait une telle animosité, comment l'espèce humaine pouvait en arriver à s'exterminer elle-même. Ihmre léchait langoureusement le liquide sucré qui caramélisait sur mon genou. Il me croyait sans doute un peu naïve. J'avais pourtant renoncé à changer le monde. Seulement, j'essayais de comprendre comment quelqu'un pouvait en arriver à violer, à tuer, ou à orchestrer une guerre. J'étais incapable de renoncer aux pourquoi qui me rongeaient.

Ihmre m'a raconté des choses en sautant du coq à l'âne. La fois où il avait visité un camp de concentration tchèque à Terezin. Près du vaste cimetière anonyme ombragé par la croix de David, il avait aperçu deux ou trois néo-nazis fumant un joint, assis sur une pierre tombale. Ce sourire béat qu'ils affichaient, il n'arrivait pas à l'arracher de sa mémoire. Ses quatre petites sœurs, ses études en enseignement de la langue allemande, qu'il n'était plus certain de vouloir poursuivre. Son envie de manger un repas nourrissant, de boire une bouteille de vin tchèque sirupeux et mes grands yeux graves qu'il dévorait déjà.

J'ai imaginé Ihmre en manteau noir, sans maquillage, traversant le pont de Prague un matin brumeux pour aller à l'université, lançant une cigarette à moitié fumée dans la Vltava, là où les architectures gothique, baroque et épineuse s'assemblent en une harmonie inquiétante, de celle que l'on rencontre dans les livres sur Kafka.

Contre le concentré de haine que j'avais consommé en bloc durant l'avant-midi, Ihmre et moi n'avons vu qu'une solution : son contraire. Nous sommes allés manger des Schnitzel au Türkenhof, avons assisté à un concert classique en plein air, tout près de l'hôtel de ville, en buvant de la bière. Puis nous avons dormi ensemble à l'auberge de jeunesse.

XVI

Je reviens de l'université et je sais qu'à cette heure, Alex n'est pas encore rentré. Je décide d'aller rendre visite à Geneviève et François qui habitent non loin de chez moi. Je me fais accroire que j'ai vraiment envie de les voir. Ils n'y sont pas. *Fuck.* Stratégie numéro deux : faire comme si je mourais de faim et que j'avais désespérément envie d'une poutine de Chez Ginette. 24 h sur 24, elle n'attend que moi, plus fidèle qu'un chien. Je suis une femme poutinienne, entretenue par le membre le plus gracieux de la famille *junk*. J'ai voulu lire *Le Journal de Montréal*, puis j'ai changé d'idée. La une titrait : « Mort dans le métro assommé à coups de marteau ». Je supporte difficilement qu'on ait plus d'ecchymoses que moi. L'idée que je ne fasse pas exception, que la violence existe bel et bien, à l'état de gratuité comme à celui de rancœur ou de haine, traduite en gestes, me donne des frissons électriques entre les omoplates. Ma naïveté ancienne me déconcerte. J'étais en paix, mais combien téméraire. Je retourne cette feuille de chou à l'envers en faisant glisser les premiers grains de fromage chaud sur ma langue. Encore du sel.

15 h 30 : mon frère devrait être revenu. Je ne suis pas encore arrivée que je sens les larmes me pendre au bout du menton : la voiture d'Alex n'est pas là. Je

sais que les voisins d'en haut n'ont pas encore terminé leur journée de travail et que celui d'en bas se
cache de moi. Je ne rentrerai pas toute seule car j'ai
immensément peur. Un mal de tête que je connais
bien depuis l'agression m'envahit le crâne juste à l'idée
d'essayer. Je m'assieds sur la petite clôture en attendant mon frère et reluque les passants d'un air méfiant, la main sur mon faux paget. Le soleil m'agresse
comme la bonne humeur d'un idiot. J'ai un goût de
poutine dans la bouche, j'ai trop chaud dans mon
manteau, j'ai mal au cœur. James arrive enfin, une
heure plus tard, et m'invite à prendre un café chez
lui. J'accepte et rage contre Alexandre. En passant
devant la porte de mon appartement, nous entendons
des bruits de pas. Je hurle : « Sors de là, maudit fou,
t'es chez moi ! » Mon frère ouvre la porte, les mains
pleines de pâte :

— Qu'est-ce qui te prend pis où t'étais, ça fait
une heure que je te cherche. J'ai appelé tes amis, tout
le monde est inquiet !

— Ton auto est où ?

— Je l'ai prêtée à Isabelle, elle doit passer une
entrevue à Sherbrooke demain matin.

Je lui ai pardonné à cause de sa tarte aux cerises.
Mon frère me cuisine des petits plats sucrés. Nous
avons hurlé de rire en repensant à l'épisode de cet
après-midi. Puis j'ai dit : « Je suis tannée de passer
mon temps à avoir peur et mal à la tête. Mon coloc
ne reviendra plus à Montréal ; j'ai pris mes courriels
à l'université et c'est maintenant officiel. Alex, on
déménage. »

Un joli petit logement, surplombé par un vieux chêne émondé par le verglas. J'y habiterai avec mon frère. Il a peur, peur pour moi, il craint qu'il ne m'arrive encore quelque chose et que j'en meure. Nous avons déménagé au cœur d'une tempête de neige. Les rues étaient glissantes et l'arrière de la fourgonnette que nous avions louée dérapait sans arrêt. Sans m'en rendre compte, j'ai déversé un sac de litière troué partout sur les marches.

Après le déménagement, Isabelle a proposé d'aller prendre une bière aux Foufounes électriques. Mon frère connaissait le serveur, un gros gars avec un bourrelet dans le bas du crâne, visiblement fasciné par mes yeux rouge, blanc et noir. Je lui ai fait accroire que je m'étais maquillée avec du colorant alimentaire non toxique et que je voyais rouge.

— Ton chandail est noir, je suppose ?

— Oui.

— Moi je le vois pourpre.

— Alex, ta sœur est une fuckée !

Cette nuit-là, je dors seule dans mon lit en pin doré. J'ai laissé mon frère avec Isabelle, non sans un pincement de peur : c'est la première fois depuis l'agression. Pour m'occuper l'esprit, je lis *Le joueur d'échecs* de Stefan Zweig en buvant un chocolat chaud blanc du Second Cup qui me tombe un peu sur le cœur. J'essaie de distraire mes cinq sens afin qu'ils oublient ce qu'on leur a fait. Il y a aussi l'encens indien, les *Nocturnes* de Chopin, la couverture douce dans laquelle je suis lovée au plus creux (remplacement temporaire d'Alex) et ma fenêtre entrouverte pour ne pas

131

étouffer. Le chat lèche la crème à l'intérieur de mon May West. Tant pis, avec le chocolat chaud, le gâteau devenait trop sucré. Mon matou s'approche, s'étend sur mon livre et se met à ronronner. Tout pour me distraire. Pour ne pas paniquer en pensant que c'est dans ce lit qu'on a cherché à me faire taire.

Toujours est-il que je ne dormirai pas tant que je n'aurai pas avalé la petite pilule blanche qui goûte la craie. J'ai besoin de quelque chose qui assomme sérieusement, qui réjouit, désinquiète et permet l'abandon au sommeil. Sans ce comprimé, Dame Insomnie m'attend les bras grands ouverts. Et je ferai ces calculs arithmétiques : la porte est-elle vraiment verrouillée ? où est mon faux paget ? J'aimerais l'avoir à côté de moi, mais pas directement dans mon champ de vision non plus, car il me rappelle ce que j'essaie d'oublier. Est-ce que j'ai le sommeil léger ? Cette question en sous-tend une autre : si un indésirable entrait dans l'appartement, combien de temps faudrait-il avant que je me réveille ? Et j'en aurai mal aux tempes de jongler ainsi de manière effrénée.

J'ouvre les yeux vers les 11 h, envoûtée par une pénétrante odeur de café et par le grésillement des tranches de bacon qui cuisent dans un poêlon. Mon frère et Isabelle se donnent des petits becs dans le cou. Je les entends rigoler, Isa qui éclate d'un rire joyeux, mon frère qui dit « Tu vas réveiller ma petite sœur » et moi qui réplique que je suis déjà éveillée. Ça sent la bonne humeur, Alex vient me chatouiller dans mon lit, me demande si j'ai bien dormi. Je lui annonce que je vais peinturer ma chambre.

XVII

Nous traversions l'Allemagne du sud au nord. Le train, que nous avions failli manquer, partait à 6 h ce matin. Ihmre était endormi à mes côtés ; il était maintenant 8 h 15. J'observais ses mains fines, ses longs doigts de joueur de piano. La veille, à l'auberge, il s'était installé au piano, comme si de rien n'était, et avait joué un mouvement de la *Symphonie du Nouveau Monde* de Dvorak. J'aime les gens qui ont des talents cachés et qui les dévoilent au bon moment. À son réveil, nous avons bu du café de train et mangé des gâteaux à la costarde. Des cernes bleutés soulignaient le gris de ses yeux. Je lui ai demandé de me parler en tchèque, langue tendre, fracassée en ses angles. De ne pas en saisir le sens me permettait de me concentrer exclusivement sur la sonorité chantante des mots qu'il murmurait, le sourire aux lèvres. Il a voulu que je lui parle en français. Comme il y avait deux Québécois près de nous, je lui ai dit d'écouter un peu. Il m'a demandé de traduire. « Il y a autant de vaches en Suisse que de scooters à Rome ! » avaient-ils dit. Il m'a embrassée dans le cou et m'a joué dans les cheveux. À moi de dormir un peu. Avec lui, j'arrivai à basculer dans le sommeil comme on claque des doigts – première fois depuis des mois.

Ihmre m'a réveillée à 12 h 30 parce que nous devions changer de train à la gare de Nuremberg. Je crois que j'ai rêvé en allemand. J'ai rêvé que je faisais de l'insomnie. Nous avons pris un train à deux étages et j'ai traversé la ville du grand procès comme une somnambule.

XVIII

« Logiquement parlant, si ça peut te rassurer, il y a très peu de risques que tu te refasses attaquer. Les statistiques prouvent que... arrive rarement, donc sûrement pas deux fois en une vie... pas à cause de ta façon de t'habiller, ç'aurait pu être n'importe qui d'autre. » Ainsi parle madame Les-pieds-sur-terre en personne : la psychologue. Je rétorque que cet attentat contre ma personne n'était pas dans l'ordre des choses. Je désire qu'on abolisse la logique comme matrice explicative de la fatalité et qu'on cesse de vouloir me rassurer pour l'avenir. Parce que c'est maintenant que j'ai peur. Et je voudrais connaître mes deux sœurs presque étranglées. Savoir pourquoi nous trois entre toutes ? Est-ce un compliment d'avoir été choisie et désirée par un violeur ? J'ordonne qu'on réponde à mes questions. Surtout pas qu'on me dise d'engager une conversation avec ma peur lorsqu'elle se manifeste.

Si nous devons aller témoigner, je serai leur force. J'arriverai en retard au palais de justice. Elles seront blêmes, lui vert. Moi, j'aurai le teint d'une starlette, maquillée par Alexandre, une perruque rouge sang comme mes yeux, un corset rembourré, un long pantalon cigarette en cuir moulant et ces talons hauts qui donnent des scolioses et des ongles incarnés aux femmes. Je parlerai comme une universitaire et leur dirai que je viens venger la féminité dans ce qu'elle a d'exagérément laid. Car au cours de ces attentats à répétition, la féminité était en cause. J'ai compris cette vérité beaucoup plus tard, après la phase du « pourquoi moi ». Avec un couteau, je lui râperai la peau des bras comme il nous l'a fait. Mais jusqu'à l'os. J'irai en extraire la moelle, la mettrai dans une fiole, et j'ordonnerai qu'on en fasse du shampoing. On fabrique bien du rouge à lèvres avec le pancréas des porcs !

Le pire, dans toute cette histoire, est d'avoir été agressée dans mon appartement. Pire encore, dans ma propre chambre, dans mon lit d'enfant, transformé en cercueil l'instant de deux yeux projetés à l'extérieur de leur orbite. Presque morte dans une ruelle, j'aurais eu hâte de réintégrer mon territoire, mes univers, ma chambre. Là, c'est autre chose. J'irai même jusqu'à dire que c'est en plein milieu de la rue, sur la ligne jaune, que je me sens le plus en sécurité. Surtout pas chez moi ; j'hésite à verrouiller la porte au cas où quelqu'un serait à l'intérieur. Je fais des calculs logiques et en arrive à des solutions de petites névroses. Si j'ai à me sauver, la porte verrouillée me ralentira de quelques secondes et permettra peut-être à un fou discret de m'empoigner. Sans compter que si les voisins m'entendaient hurler et essayaient d'entrer, ce serait vain ou plus long. Mon cœur bat la chamade, j'ai l'impression qu'il va se projeter hors de ma cage thoracique pour aller fendre en quatre l'air que j'essaie de respirer.

XIX

Nous sommes arrivés à Berlin en fin de soirée, juste à temps pour le party de nuit du Love Parade. Depuis la chute du mur, chaque deuxième fin de semaine de juillet, la ville réunit un million de personnes venues de partout sur la planète pour ce rave géant. Après une dizaine d'heures passées dans les trains, Ihmre et moi étions plutôt ankylosés. Nous nous sommes douchés à l'auberge de jeunesse, avons mangé des nouilles aux œufs et pris le métro en direction de la porte de Brandebourg, là où s'ouvrait le mur.

Ihmre portait une longue jupe colorée, toute bariolée de jaune, blanc, pourpre et bleu, lui caressant le milieu des mollets le plus sensuellement du monde. Ses yeux étaient très maquillés et j'avais collé des étoiles rouges dans ses sourcils. Sa jupe fendue laissait entrevoir le creux de son genou et la naissance de sa cuisse. Ihmre avait ce sens du rythme qu'ont les musiciens. Je jubilais devant la légèreté nonchalante qu'il affichait. Le balancement de ses hanches était merveilleusement servi par son charisme androgyne.

Un ciel rose apocalypse nous recouvrait, soyeux comme le tissu d'un kimono. La statue de la Victoire déployait ses ailes dorées non loin de nous. Un D.J. spinnait des *beats* de *drum'n'bass* comme pour amplifier nos élans sensuels. Trois policiers tranquilles, assis sur un cabanon vert qui servait de toilettes, semblaient subjugués par un grand gars genre Indien qui dansait en équilibre sur un lampadaire. Un McDonald bondé de monde, des déchets partout, une église amputée de son clocher et quelques tours à bureaux formaient une sentinelle pacifique autour de nous.

Tranquillement déployée, l'ecstasy a fait corps avec moi. Ihmre a appliqué du baume de tigre sur mes tempes et j'ai senti que le voyage commençait, la mise en abyme d'un voyage dans le voyage, ai-je pensé. Je saisissais toute la portée du mot « trip » en anglais. J'avais l'impression de pleurer agréablement des lames de rasoir gelées. Nous étions tout près des haut-parleurs et les décharges sonores montaient en moi, dans mes veines et mes muscles, guidant mes mouvements. Je sentais venir le moment où j'aurais envie de toucher et d'être touchée. Je prenais la drogue de la concupiscence, mes sens seraient en éveil, surtout celui du toucher. J'étais consciente de tout cela et je trouvais qu'il y avait là un beau paradoxe.

Soudainement, Ihmre s'est mis à me labourer le dos avec ses mains d'oiseau et ses longs doigts de pianiste. Des jumeaux très blonds ont massé chacun de mes bras, chacune de mes mains en me souriant.

Me voyant ainsi en transe, une Asiatique a glissé deux gouttes d'une essence délicate derrière mes lobes d'oreilles, comme deux glaçons qui chatouillent et font frissonner de plaisir. Ihmre s'est penché pour me saisir les mollets et les blonds ont hissé le haut de mon corps au-dessus de leurs têtes. J'ai ainsi dérivé, étendue sur un océan de mains, face à la statue de la Victoire. Je voguais sur des mains qui me maintenaient en suspens au-dessus d'une foule. D'où j'étais, je ne voyais que des doigts pointés dans ma direction, des paumes prêtes à m'accueillir et à m'envoyer plus loin encore, vers d'autres mains ouvertes.

L'atterrissage fut des plus moelleux ; j'étais une éponge en forme d'être humain qui quittait son lit de guimauve. Ihmre était tout près, avec un bonbon aux poires. Nous avons joué à des jeux de langues et de goût en s'embrassant, le bonbon valsant d'une bouche à l'autre, dans un roulement tendre. Nos mains recouvertes de gel se tâtaient, comme plongées dans une argile tiède en mouvement. Le goût de sirop de fruits m'éclatait dans le thorax, mes jambes étaient emportées par les rythmes électroniques, derrière mes lobes, c'était l'hiver du menthol et la musique n'en était que mieux filtrée, plus perçante. Ça sentait les fleurs, l'urine, la sueur, la barbe à papa et les hamburgers. La grande horloge de Berlin s'était arrêtée comme pour exclure le temps de la scène.

Quelqu'un est arrivé dans mon dos et, d'une poigne solide, a voulu masser mes clavicules, ma gorge et mon cou. J'ai fait « non » de la tête, me suis retournée pour voir qui c'était : un géant. « *Nein, Nein, tut mir Leid aber Nein* », « Désolée, mais non ». Ihmre s'est placé derrière moi et, le dos plaqué tout contre son torse, j'ai tenté de rejeter le souvenir d'un attentat commis contre ma personne six mois auparavant. Je ne lui avais jamais raconté l'histoire et j'en éprouvais une fierté étrange, sans autre témoin que moi.

Le géant s'est éloigné en montrant ses fesses ; il ne portait qu'un *G-string* et nous avons pouffé devant sa carrure à la Schwarzenegger exagérément inhumaine.

XX

À mon grand désarroi, je développe des réflexes territoriaux, un « sens de la propriété », dirait l'immoraliste d'André Gide. Ça m'aigrit et me fait maigrir : ruminer détruit les graisses, tue les lipides, me laisse aux prises avec mes os, assise sur de la moelle molle.

— T'as pris ma brosse à cheveux, Alex.

— Ça se peut, j'ai laissé la mienne chez Isabelle.

— Oui, mais t'aurais pu faire attention, il manque des dents.

— …

— De plus, les dents sont dans le lavabo. Ce qui veut dire qu'elles vont tomber dans les tuyaux et risquent de les bloquer.

Alexandre va nettoyer l'évier. Je m'impatiente et m'en veux d'avoir réagi ainsi. En fait, qu'il prenne ma brosse m'importe peu. Je deviens son bourreau. Il encaisse sans rien dire, ne s'emporte jamais. J'essaie d'étudier un peu, de lire pour mes cours. L'encre des mots se distend, transformée en feux d'artifice paresseux. « Viens, Alex ! » Il se cogne le front contre l'embrasure de la porte. Dans ce nouvel appartement, les cadres de portes sont plus bas que d'ordinaire et mon frère doit penser à se pencher. Nous éclatons de rire, il menace de me taper les fesses avec la brosse en se recouvrant le front de l'autre main. Je lui fais un massage facial : « Le cadre de porte fait dire qu'il s'excuse de te maltraiter ainsi. » Il brosse mes cheveux et s'étonne de leur longueur. Je prends un ton scientifique et démystifie quelques clichés. La tradition veut que la peur fasse tomber ou dresser les cheveux sur la tête. Dans mon cas, elle les aura fait s'allonger d'une dizaine de centimètres.

J'ai envie de manger du poulet Kentucky. Il s'en étonne et manifeste son dégoût pour la chose. J'explique que j'ai envie de gruger la peau croustillante et salée, de sucer les os un à un. Peu m'importe la chair.

« Je crois que les chats blessés sont comme les gens blessés, ils sont dangereux parce qu'ils savent qu'ils peuvent survivre », écrit Pierre Foglia dans le journal du matin. Je crois aussi qu'ils le sont parce qu'ils ont perdu confiance dans le monde. Savoir sa survie possible entraîne une joie étrange, un orgueil naïf, une impression de force brute, dans le meilleur des cas.

«Dangereux» me semble un peu exagéré. Je dirais plutôt «en état perpétuel de méfiance, de légitime défense paranoïaque», avec la fatigue que cet état entraîne. Et la fatigue altère la personnalité.

Je lis *La Presse* en attendant qu'on m'appelle, comme chez le médecin. L'inspecteur apparaît enfin, joufflu et rouge, un café à la main qu'il s'empresse de m'offrir. Il me fait passer près d'un homme en état d'ivresse et d'arrestation qui se met à parler de masturbation en me voyant arriver. Trois policiers le plaquent contre un mur et l'inspecteur accourt afin de me protéger. Tout cela m'enrage. Premièrement, pourquoi fait-on circuler les agressés dans le même couloir que les agresseurs? Deuxièmement, je déteste me faire secourir comme si j'étais trop faible pour veiller sur mon propre cas.

Un cortège de présumés jeunes violeurs de sang latin défile devant mes yeux rouges. Plusieurs sont sales, mal rasés, impurs. Ils font exprès, me semble-t-il, de fixer la fenêtre d'où ils savent que je les épie. Il y en a bien une cinquantaine. Beaucoup de filles agressées au total, si on calcule une moyenne de deux victimes par violeur. On me demande si j'en reconnais un. Je répète que le visage de l'agresseur était dissimulé sous de larges verres fumés lui couvrant une partie du visage et qu'il portait un capuchon. Je répète que mis à part un face-à-face bref, j'ai eu les yeux bandés durant l'éternité de cette demi-heure. Peu importe; l'enquêteur me posera la question à nouveau, dans maximum quinze minutes. Comme si, au fil des secondes, mes propos se dissolvaient dans l'air, évanouis en bulles légères.

Six nouveaux venus font leur entrée. L'un d'eux éveille en moi un sentiment ambigu. Malgré tout le mépris et la méfiance que j'éprouve pour ces gars-là, je sais que, dans la rue, je me serais retournée au passage de ce grand mince aux cheveux en bataille, à l'œil vif et au nez délicat. Il repart avec style, comme un chat.

— Qu'est-ce qu'il y a ? me demande l'enquêteur.

— Je trouve qu'il y en a beaucoup.

— Ce sont ceux qui répondent à la description et qui ont entre dix-neuf et vingt-cinq ans. T'inquiète, on n'en a plus pour très longtemps, il en reste quelques-uns, une dizaine tout au plus.

— Ah, mais c'est pas parce que je veux m'en aller. Quoique… Seulement, je trouve qu'il doit y avoir pas mal de filles agressées en bout de ligne. Pourquoi vous me demandez de venir vérifier si vous avez trouvé son portefeuille chez la troisième fille agressée ?

— On doit le faire, c'est tout. Vérification obligatoire avant le procès. Il est là, me dit le gros bonhomme. Les deux autres victimes et ton ancien colocataire l'ont reconnu.

Je veux être solidaire, je veux le pointer, je veux le reconnaître. Je veux plus fort que tout.

— Maintenant, Ariane, concentre-toi bien, nous allons te présenter six garçons, retenus parmi les cinquante. Les deux autres victimes ont identifié le même. Nous sommes pratiquement sûrs que c'est lui l'agresseur. Mais nous voulons ton avis.

J'ai la nausée. Tous me regardent sans me voir. Sur six, trois sont trop grands et je les élimine en partant.

— C'est l'un des trois autres et c'est tout ce que je peux vous dire. Je peux partir maintenant ?

J'attends le métro à la station Guy-Concordia, devant les regards indiscrets de trois jeunes Latinos assis en face de moi sur l'autre rive. Plus que jamais, je suis convaincue de la nécessité de porter une arme.

XXI

Le train est parti, ponctuel comme le sont les trains allemands. La silhouette féline d'Ihmre s'est perdue dans l'ondée de gens qui envoyaient la main sur le pavé de la gare. Nous avons passé nos derniers moments ensemble à Cuxhaven, directement sous le Danemark, dans une petite auberge près de la mer du Nord. C'était cher et confortable, et nous avons dépensé l'argent qu'il nous restait en détails luxueux : bouteille de vin de Copenhague, petites balades en voilier, repas d'huîtres et de poissons blancs.

La veille de mon départ, un billet de 20,00 $ canadien est tombé de mon passeport. Ihmre a d'abord pensé que c'était de l'argent britannique. Expliquer à un Tchèque la présence de la reine d'Angleterre sur une piastre canadienne dans une langue créole oscillant entre l'anglais et l'allemand est aussi ardu que de faire un casse-tête des 101 Dalmatiens. Pas aussi difficile, pourtant, que de s'expliquer la présence d'un agresseur dans sa garde-robe.

Ce voyage en Allemagne n'était pas dans l'ordre des choses. Mon frère, sa blonde et moi avions décidé d'aller en France sur un coup de tête, avec entre autres l'argent de l'indemnisation des victimes d'actes criminels. En mars, quatre mois après l'agression, nous étions encore sous le choc. J'ai pensé que ce serait bien de ne pas avoir de garde-robes à scruter pendant un mois. Je devais me rendre à Sète avec Alexandre et Isabelle. Nous avons pris un train, puis j'ai vu cette correspondance, direction Stuttgart. J'ai dit à Alex et Isa :

— Je m'en vais en Allemagne.

— Tu ne vas pas partir toute seule ?

— Oui, je vais être prudente. J'ai envie de le faire seule, ce voyage. Je suis dans vos pattes depuis cinq mois, vous allez avoir l'occasion de vous retrouver enfin seuls.

— Attends… Prends ça, au moins. Je ne pense pas en avoir besoin de toute manière.

Dans un sac en plastique, Isabelle avait emballé un vieil imperméable qui puait l'humidité et un chapeau mou tout froissé.

— Oui, mais Isabelle, il n'y a plus de place dans mes bagages.

— Roule l'imperméable et écrase le chapeau, c'est tout. Ça peut être très pratique de passer pour un gars des fois.

Mon frère était blême. J'avais pris trois cours d'allemand au cégep. Mon père l'engueulerait parce qu'il m'aurait laissée partir. Les contrôleurs allemands ont estampillé mon passeport. Leur beauté angulaire, leur froideur respectueuse et leur grâce silencieuse m'ont plu dès le début.

J'écoutais du jazz et mourais déjà d'ennui. Ihmre et moi avions promis de nous retrouver à New York, l'année suivante. Nous irions nous saouler dans les petits bars de Greenwich Village en écoutant du jazz, du blues, n'importe, en parlant cette langue créole que nous seuls comprenions. Un contrôleur est passé, m'a offert du café… et un mouchoir. À travers mes larmes, je lui ai souri sans le voir. Mon frère et Isabelle m'attendaient à l'aéroport Charles-de-Gaulle. Mes yeux étaient redevenus blancs, sauf peut-être une petite veine en spirale, dans le coin de mon œil droit. Comme l'estampille dans mon passeport prouvait ma visite en Allemagne, une marque témoignait de mon passage dans un autre pays lourd d'histoire, celui des survivants.

En FORMAT de POCHE
aux Éditions Triptyque

Andrès, Bernard. *Les Mémoires de Pierre de Sales Laterrière* suivi de *Correspondances* (édition commentée), 2003, 320 p.

Des Rosiers, Joël. *Métropolis Opéra* suivi de *Tribu* (poésie), 2001, 192 p.

Desrosiers, Sylvie. *Bonne nuit, bons rêves, pas de puces, pas de punaises* (roman), 1998, 201 p.

DesRuisseaux, Pierre. *Pop Wooh, le Livre du temps. Histoire sacrée des Mayas quichés* (essai), 2002, 252 p.

Dudek, Louis. *Dudek, l'essentiel* (poésie), 1997, 236 p.

Dugas, Marcel. *Psyché au cinéma* (poèmes en prose), 1998, 104 p.

Collectif. *Hymnes à la Grande Terre. Rythmes, chants et poèmes des Indiens d'Amérique du Nord-Est* (poésie), 1997, 265 p.

Gagnon, Daniel. *Loulou* (roman), 2002, 158 p.

Giroux, Robert. *Soleil levant* précédé de *Gymnastique de la voix* (poésie), 2004, 119 p.

Gobeil, Pierre. *La Mort de Marlon Brando* (roman), 1998, 135 p.

Gosselin, Michel. *Le Repos piégé* (roman), 2000, 188 p.

Layton, Irving. *Layton, l'essentiel* (poésie), 2001, 195 p.

Moutier, Maxime-Olivier. *Risible et noir* (récits), 1998, 164 p.

Moutier, Maxime-Olivier. *Marie-Hélène au mois de mars* (roman), 2001, 218 p.

Nelligan, Émile. *Poésies* (poésie), 1995, 303 p.

Poitras, Marie Hélène. *Soudain le Minotaure* (roman), 2007, 145 p.

Vaillancourt, Claude. *Le Conservatoire* (roman), 2005, 196 p.

PROTÉGEONS
NOS FORÊTS

Tous les livres des Éditions Triptyque sont désormais im-
primés sur du papier 100 % recyclé postconsommation
(exempt de fibres issues des forêts anciennes) et traité sans
chlore.

L'impression de *Soudain le Minotaure* a permis de sauvegarder
l'équivalent de 4 arbres de 14 à 18 centimètres de diamètre et
de 12 mètres de haut. Ces bienfaits écologiques sont fondés
sur les recherches effectuées par l'Environmental Defense Fund
et d'autres membres du Paper Task Force.

MARQUIS

MEMBRE DU GROUPE SCABRINI

Québec, Canada
2006